将来を本気で考える君へ

人生100年時代の
就活相談

野島廣司

はじめに

この本を手に取ってくれた君へ、まずはお礼を言わせてください。この本に興味を持ってくれて、ありがとう。君の大切な時間をこの本を読むために使ってくれてうれしく思います。

この本のタイトルと著者名を見たとき、「なぜデジタル機器販売会社の社長が就活生のための本を書いたのだろう?」と不思議に思ったのではないでしょうか。これには理由があります。

僕が経営するノジマという会社は、従業員一人ひとりの成長によって企業を成長させています。そのため、従業員の採用と育成に力を入れています。社長である僕も何かできることはないかと思案していたところ、ある方からアドバイスをいただき、人財採用グループを応援する本を書くことに決めました。

本の構想を練る過程で、就活生の気持ちをもっと深く知りたくなり、あるとき、皆さんの関心事を映していると思われる場所へと足を運びました。目的地は、大きな書店の就活コーナー。そこで、僕は愕然としました。あまりの驚きに、1分近く声が出なかったほどです。僕が見た書店の就活コーナーは、ＳＰＩや玉手箱等の適性検査の対策本が本棚の大半を占めていました。その次に多かったのが業界研究、それからエントリーシートの書き方や面接の対策などが続きました。これらはすべていわゆる「マニュアル本」です。会社に入るためのテクニック、ハウツーを教える本ばかりが並んでいる本棚は、「自ら考える力」を育むことをさぼり続けてきた、日本の悲しい現状を映しているように僕には思えました。

そこで、「人生１００年時代」を生きる君たちに向けて、多くのマニュアル本に書いてあるような「就活のやり方」だけではなく、やりがいと誇りを持って働き、幸せな人生を歩むための「考え方」を含んだ本をつくろうと考えました。

本書では、採用活動中に学生の方からよく寄せられる質問を選び、それに答える形で、仕事やキャリア、あるいは人生において僕が大切にしていることをお伝えしています。

なかには、君にとってあまり耳に心地よいとは言えない答えや、他の大人が言わないようなちょっと変わった答えがあるかもしれません。でも、すべて僕自身の体験・経験と、そこから得た気づきを踏まえて、正直に回答しています。

就職活動という「正解のない問題」に真剣に取り組み、悩んでいる君にとって、自分なりの指針を見出すヒントとして、あるいは「そんなふうな考え方もあるのか」と、視野を広げるきっかけとして本書が役立てたら、僕にとってこれほどうれしいことはありません。

2024年2月　野島廣司

目次

勤務環境

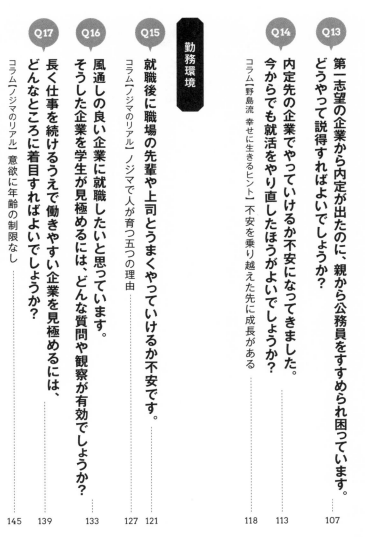

キャリア形成

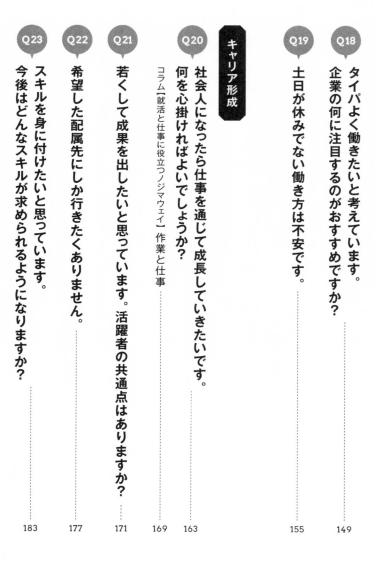

仕事観・働き方

その他

---- CATEGORY ----

自己分析

学生の質問

Q1

就活を始めてみたけど、自分の進むべき方向が分かりません。そもそも就活って何から考えればよいのでしょうか？

（Y･Sさん）

現役経営者の答え

A1

まずは10年後・35年後・60年後の「なりたい自分」を思い描こう。

「人生には三つの節目。就職は最も重要なターニングポイント」

野島　就職は、人生において最も重要なターニングポイントです。つまり君にとっては「今」がまさにその時期だね。だから、就活を始めるときには、自分の人生を俯瞰して、人生の節目となる時期に、自分はどうなっていたいのかを考えておくと、いいんじゃないかな。

Y・Sさん　人生の節目となるタイミングとは、具体的にはいつでしょうか？

野島　今は「人生100年時代」と言われていることは、君も聞いたことがあるよね。例えば2007年生まれの日本人の50%は、107歳まで生きると推測されているんだ。人生が長くなる分、今後は70代・80代になっても働くのが当たり前の世の中になるだろう。そうした長い人生のなかで特に大きな変化があり、備えが必要な時期が三つある。

一つめは、結婚する時期。もし君が家庭を持ちたいと考えているなら、今から10年以内には、おそらく結婚しているんじゃないかな。僕は大学時代から妻と付き合っていて、できれば早く結婚したかったけれど、経済的に安定していなかったので、自分から結婚しようとはなかなか言い出せなくて少し辛かった思い出がある。

二つめは、今から35年後にやってくる。君が君の両親と同じくらいの年齢になる頃だね。ちょうどその頃、君の子どもは、大学生になっているだろう。場合によっては、家のローンも残っているかもしれない。つまり、今から35年後というのが、人生で最もお金が必要となる時期なんだ。子どもを大学に進ませるには、それなりのお金が必要になるだろう。

そして三つめは、今から60年後だ。君はもう80代になっている。十分な貯蓄があれば、仕事はきっぱり辞めて、趣味に没頭するなど、余生を存分に楽しむことができるだろう。もし自分が使いきれないほどお金を持っていたら、慈善事業で社会に貢献することだって可能だ。もちろん、好きな仕事を続ける道もある。ただし、健康上の理由から働きたくても働けなくなる人が多いのも、この時期なんだ。高齢になっても働き続けることを前提として人生設計をしていると、思わぬ苦労をすることになるかもしれない。

10年後・35年後・60年後のそれぞれの時期に、自分がどうありたいかを一度考えてみると、どの時期でも「経済的安定」が欠かせないことは分かるだろう。そして、ここで覚えておいてほしいのが、人生には仕事をして収入を得る「経済活動」と、個人として日々営む「生活活動」という二つがあって、それらは互いに深くリンクしているということなんだ。仕事がうまくいって経済活動が順調に回れば、趣味や友人との関係も大切にできるし、結婚して家庭を持つこともできる。つまり生活活動もうまくいくんだ。反対に、生活活動の重要な部分、例えばパートナーとの関係などに問題があれば、それは経済活動の中心である仕事に大きな影を落とすことになる。

だから、就職先を選ぶときは、長い人生を見据えて、君が社会人として成長し、安心して働き続けられる企業を選ぶことが極めて重要だと僕は思うよ。

将来を考えて行動や仕組みを変え、会社も成長軌道に

Y・Sさん　野島さんは、大学3～4年の頃に、将来のことまで考えていましたか？

野島　正直に言うと、その当時は全然考えていなかった。なぜなら、その頃、うちの会社は借金だらけで、倒産寸前だったんだ。だから「僕がなんとかこの商売を支えて、家族が生活できるようにしなければ」と、毎日必死で生きていた。

僕が将来のことを真剣に考えたのは、26歳になってからだよ。仕事のしすぎで腰を痛めてしまい、動けなくなったのがきっかけだったんだ。妻は専業主婦だし、九つ下の弟はまだ高校生。「もう家族を養っていけないかもしれない」と、布団のなかで青ざめたのをよく覚えている。

それで、「体を壊すまで働かなくても、生活していけるようになりたい。少しは楽もしたい」と考えて、日々仕事の改善や合理化に取り組み、継続的に利益を上げられる仕組みをつくっていったんだ。そのおかげで、会社は成長軌道に乗り、僕自身も経済的安定が得られるようになった。

会社はその後も成長を続け、僕が43歳のときに上場を果たしたんだ。それによって十分すぎるほどの経済的見返りがあった。おかげで今は、自分の家族を守るためだけに働く必要はなくなったけれど、代わりにノジマの従業員とその家族が幸せに暮らせるようにする責任が生まれたんだ。この責任を果たすために、日々知恵を絞って仕事をしている。

君と同じ年齢の頃、僕には人生を考える余裕なんてなかったけど、君にはそれがあるよね。就活を機に、それぞれの時期にどうありたいかを、じっくり考えてみるといいんじゃないかな。

企業が従業員とその家族の幸せを考えているかに着目

Y・Sさん　10年後・35年後・60年後に自分がどうありたいか、ですか。例えばどんなことを考えれば、就活や企業選びの指針になりますか？

野島　君の親御さんは、今いくつぐらいかな？

Y・Sさん　二人とも50代半ばです。

野島　じゃあ、それくらいの年齢になったとき、君はどうなっていたい？

Y・Sさん　両親が自分にしてくれたのと同じくらいのことを、自分の子どもにしてあげられる人間でありたいです。できれば奨学金などを借りずに済むよう、大学進学に関わる費用はすべて負担できるくらいの経済力は欲しいです。

野島　仮に子どもが二人いるとしたら、世帯年収で1000万円は欲しいところだね。共稼ぎを前提として、君自身の年収が600万円くらいあるとよいだろう。興味のある企業の年代別平均年収と、君のライフプランを照らし合わせて考えてみるのも、一つの指針になるんじゃないかな。

また、50代になれば、日々の生活のためだけではなく、老後資金の備えも進めておいたほうがいいだろうね。従業員とその家族の幸せをよく考えている企業は、従業員の財産形成を支援する仕組みを導入しているところも多いんだ。そういった観点で、就職先の企業をチェックしてみるのもいいかもしれないよ。

野島流 幸せに生きるヒント

仕事と努力と幸せの関係

人生には「経済活動」と「生活活動」という二つの活動があります。これらを自分で回しながら生きていくのが「自立」ということです。

経済活動の中心となるのは、仕事です。仕事をすることで、まずは生活に必要な収入を得ます。仕事をすると、実は金銭的な報酬以外のものも手に入れることができます。例えば、組織における役割、顧客からの期待や感謝、職場の仲間との信頼関係、学びと成長の体験、あるいは社会的影響力などです。

人は仕事で努力することで、さまざまな報酬を得ることができ、そこから仕事にやりがいが生まれ、いっそう努力するようになります。この積み重ねで、給料や地位が上がり、経済活動の円は徐々に大きくなっていくのです。

経済活動がうまく回り始めると、収入が安定するため、生活活動のほうも充実します。例えば、趣味にお金を費やす、親しい友人と食事や旅行に行き楽しい時間を過ごす、あるいは結婚して家庭を持つなどのことが可能となります。

生活活動が充実していると、「仕事も頑張ろう」という気持ちが生まれ、また経済活動も大きくなっていきます。

図表 人生を構成する二つの活動

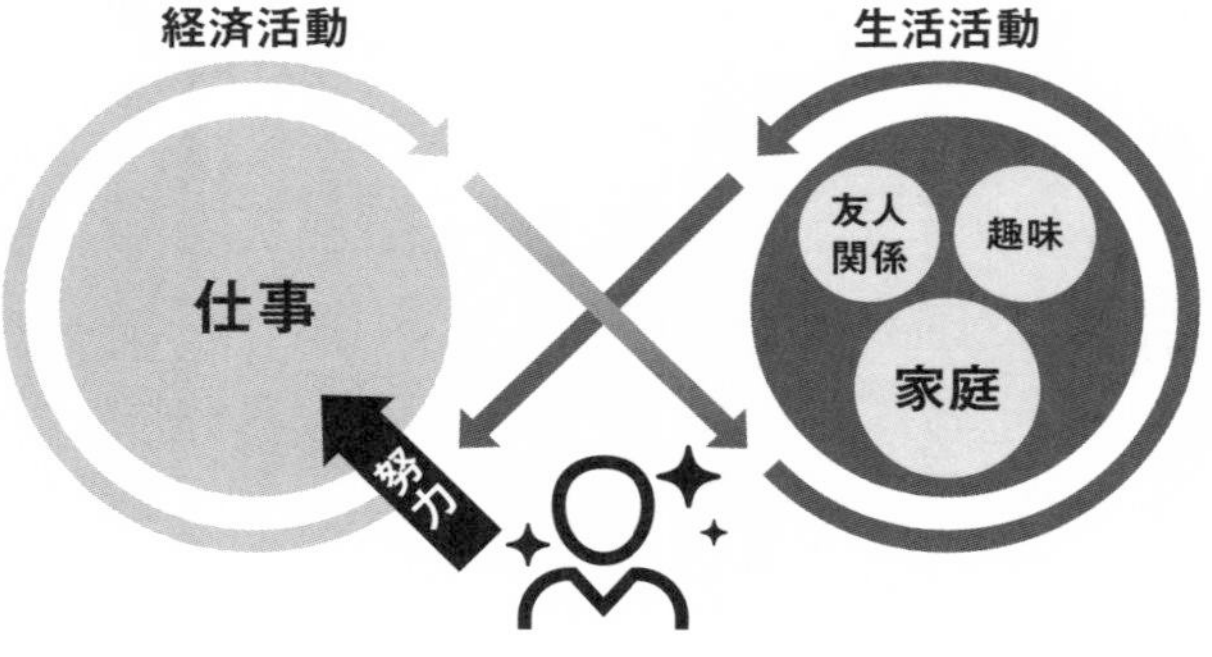

反対に、仕事がうまくいかないと、収入が安定せず、その結果、友達と遊べない・趣味を存分に楽しめない・結婚したくてもできない、といったことが起こります。経済活動と生活活動は、このように密接にリンクしており、切り離すことはできません。二つの活動のどちらかに問題が起これば、必ずもう片方にも支障が出てくるものなのです。

したがって、社会に出てまず君たちが集中したほうがいいことは、仕事を好きになって努力することです。

自転車をこぎ始めるときは、少し力を込めなければいけませんが、一度走り出してしまえばスピードに乗ってどこまでも走っていけます。それと同じように、社会人のごく初期に努力する習慣を身に付けることができれば、経済活動にプラスの循環が生まれ、生活活動にも良い影響を与えるようになります。最初の仕事で努力をすることは、君の人生を豊かで幸せなものにする確かな第一歩となるでしょう。

---- CATEGORY ----

自己分析

学生の質問

Q2

やりたいことが
見つかりません。
どうすればよいでしょうか？

（H・Tさん）

現役経営者の答え

A2

好きだったこと・夢中になれたことから探してみよう。

過去の自分をヒントに職種を考える

野島　やりたい仕事が見つけられないなら、過去の自分をヒントにするのがいいんじゃないかな。君が今までで好きだったり、夢中になれたりしたことは何かない？

H・Tさん　高校時代、サッカーを一生懸命やっていました。

野島　サッカーでは、何をやっているときが特に楽しかったの？

H・Tさん　うちの高校はサッカー部の部員が少なくて、チーム自体もあまり強くなかったのですが、その状態からどうやって勝ち上がっていくかを考えているときが一番楽しかったです。

野島　つまり、チームの資源を観察・分析して、それを最大限生かす方法、戦略を考えるのが好きだった、ということかな。そういうことに近い仕事は何だと思う？

H・Tさん　マーケティングとか、経営コンサルティングとか……。ただ、そういう仕事は学生の人気が高いうえ、そもそも採用予定数が少ないのではないでしょうか。

野島　うん、君の言う通りだね。マーケティングやコンサルティングに強いこだわりがないのであれば、職種を少し広げてもいいかもしれないね。

例えば、営業や販売の仕事であれば、実は戦略を考える場面は多いんだ。ただし、本社で立案した戦略を営業や販売の現場へ落とし込むようなトップダウン型の企業ではなく、現場の人間が自ら戦略を立案して実行できるボトムアップ型の企業を選んだほうが、君の良さを発揮できそうだね。

「大変」な仕事を選ぶほうが人生のプラスになる

H・Tさん　野島さんが、今、大学生で就活するなら、どんな仕事を選ばれますか?

野島　大学生の頃は、できれば海外で仕事をしたいと思っていたんだ。だから、今、僕が大学生として就職活動をするなら、商社とか、外資系の企業で、グローバルビジネスに挑戦させてもらえる仕事を探すだろうね。

海外と言えば、昔、『兼高かおる　世界の旅』というテレビ番組があってね。「世界ってこんなに広くて面白いんだ!」「こんな国があるんだ!」と感動しながら、毎回楽しく見ていたな。

僕は本を読むのが好きなんだけど、その理由の一つが、自分が知らなかった世界に触れることができるからなんだ。外国に対する憧れも、そういうところから来ているのかもしれないな。

H・Tさん　海外で働くなんて、考えたこともありませんでした。大変そうだし。

野島　僕が今、就活生だったら、楽そうな仕事ではなく、大変そうな仕事を選ぶと思うな。そのほうが成長できて、結局は人生のプラスになるからさ。

大変という字は、「大きく変わる」と書くよね。大変なときこそ、実は成長のチャンスでもあるんだ。能力とは、努力して「大変」を乗り越えた人だけが得られるものだからね。

就活も、君にとって「大変」なことだろう。この大変さから逃げずに乗り越えた後には、君もきっと大きく成長しているはずだよ。

COLUMN

就活と仕事に役立つ ノジマウェイ

ウサギとカメ

目標を持つことは、努力を続けるためには大事なことです。そして、どこに目標を置くかで、努力の仕方も、現れる成果も変わってくるものです。

イソップ童話の『ウサギとカメ』のお話は、誰でも一度は聞いたことがあるでしょう。山までかけっこをした結果、俊足のウサギがのろまなカメに負けてしまうというお話です。「なぜ、ウサギはカメに負けてしまったのだと思いますか？」と僕が尋ねると、たいていの人は「ウサギが途中で寝てしまったから」と答えます。

たしかに、童話のなかで語られた内容だけで考えると、その通りかもしれません。でも、ウサギがカメに負けた真の原因は他のところにあると僕は考えています。

ウサギとカメを比べると、一番大きな違いは両者の「目標の持ち方」にあります。ウサギは「カメに勝つこと」を目標にしていたのに対し、カメは「ゴールに到達すること」を目標に掲げていました。

カメに勝つことを目標にしたウサギは、はるか後ろにいるカメを見て「このくらい引き離しておけば大丈夫」と安心し、努力を怠って昼寝をしてしまいました。

一方、「ゴールに到達すること」を目標としていたカメは、ウサギにどんなに引き離されようとも、また、ウサギがどんなにゆっくり休んでいようとも浮かれることなく、目標に向かって着実に歩みを進めていきました。

つまり、ウサギはカメに負けるべくして負けたのです。カメのように高い目標を掲げて日々努力を続けていけば、必ずや結果はついてくるものです。

今、君はどんな目標を掲げて、就活を進めていますか？

---- CATEGORY ----
自己分析

学生の質問

Q3

就職活動の軸が曖昧で、ネットの情報もありすぎて困っています。

（T･Iさん）

現役経営者の答え

A3

理想の生き方・人物像を定め、必要な情報を選別する力を身に付けよう。

小手先のテクニックだけに頼ると方向を誤る

野島　僕も、書店の就活本コーナーに行ったときは本当に驚いたよ。適性検査や自己アピール、面接などのテクニック本がずらりと並んでいて、「今の学生さんは、こういう本を読んで就職活動をしているのか……」と愕然としたんだ。

T・Iさん　愕然としたのは、なぜですか？

野島　自分に必要な情報を選別する力もないまま、小手先のテクニックばかりを学んで、それで就活を進めてしまうと、人生や仕事探しの方向を間違えてしまうんじゃないかなと、心配になったんだ。テクニックを駆使して、適性検査や面接を上手に突破しても、就職したのが自分と合わない企業だったら、すぐ離職することになり、その後のキャリアをうまく築いていけず、不幸になるかもしれないからね。

T・Iさん　方向を間違えないようにするには、何が必要でしょうか？

野島　まず、自分の内に「こんな生き方をしたい」「こんな人になりたい」というイメージを描くことが大事なんじゃないかな。

そうした目指したい姿があって初めて、目の前にある情報が自分にとって有用かどうかを適切に判断できるようになると僕は思うよ。就活でも、「就活の軸」や「企業選びの軸」という言葉を最近はよく使うようだけど、「生き方の軸」を自分の内に持つことも僕は大事だと思うな。

人物伝から人生で大切なことを学ぶ

T・Iさん　自分の生き方や理想の人物像について、これまであまり考えたことがないんですが……。

野島　だとしたら、君は少し自分で勉強をしたほうがいいかもしれないね。

T・Iさん　例えば、どんな勉強でしょうか？

野島　ここで言っているのは、大学の勉強ではなく、人生勉強のほうだよ。僕は人生において大切なことの多くを本から学んだんだ。

人生勉強に向いているのは、偉人がどんな一生を送ったのかが分かる人物伝なんだ。織田信長、豊臣秀吉、徳川家康のような三英傑の生きざまは、いろんな作家が描いているから、自分に合う作家を見つけて読んでみるといいかもしれない。

もし本を読むのが苦にならないなら、三英傑が生きた時代に活躍した忍者を描いた歴史小説も併せて読んでみると面白いと思うよ。情報を集める忍者と、その情報を活用する戦国大名の両方を見ることで、より立体的にあの時代の人の心理や考えが想像できるからね。

もう少し現代に近いところなら、明治維新以降の企業家の人物伝も参考になると思う。日本資本主義の父と言われる渋沢栄一や経営の神様と呼ばれる松下幸之助、大いなる夢を語りモノづくり日本を代表する企業を一代で築いた本田宗一郎、平成の経営の神様と言われた稲盛和夫など、人柄や手掛けた事業はそれぞれ違うけど、みな高い志のもと、持てる力を存分に発揮して、自社のみならず日本の発展に貢献した人物であり、その生きざまは学ぶところが多いんだ。

人物伝を読むということは、その人物の人生を短期間で少しだけ経験できるということでもある。そういう経験を通じて、自分がどうなりたいか、自分のロールモデルになるような生き方を見つけられれば、人生や就活で大切にすべき指針が君も得られるんじゃないかな。

T・Iさん　読書習慣がなく、本を読むことにちょっと抵抗があるんですが、そういう場合はどうしたらいいでしょうか？

野島　僕も最初から読書が好きだったわけじゃないんだ。中学生の頃、僕は漫画ばかり読んでいてね。そんな僕を見かねたS先生が「野島君、どうせ読むなら本を読みなさい」と言ってくれたんだ。そこで僕がすかさず「『○○パンチ』と『□□□ボーイ』を読みます」と、中学生向けとは思えない、グラビアがいっぱい載った週刊誌の名前を挙げたところ、「うん。漫画よりはいい」と、S先生は言ってくれたんだ。

これがきっかけで、僕は読書を始めた。週刊誌に連載されていた小説に引き込まれて読んでいるうちに、数年すると文字を追うのが億劫ではなくなり、気がつくとどんなジャンルの本でも楽しみながら読むようになっていたんだ。

読書はYouTubeやテレビなどに比べると、少し厄介に思うかもしれない。じっとしていても知識や情報が入ってくる受動的なメディアとは異なり、本は自ら「読む」という行動に能動的に取り組まなければならないからね。でもだからこそ、自分のなかに蓄積されていくものが多く、得るものも多いんだ。

就活を機に読書の習慣を身に付ければ、君の人生にとって、きっと大きくプラスになると思うよ。

COLUMN

野島流 幸せに生きるヒント

読書が培ってくれる力——想像力と創造力

「自分を成長させるには、何をすべきでしょうか？」

「ビジネスで成功するには、どうしたらよいでしょうか？」

そんなふうに聞かれたら、必ずといっていいほど「本を読むといいよ」と答えています。それほど読書は実にさまざまなものを、僕にもたらしてくれました。本から得られる知識や情報はもちろんのこと、僕が重要だと感じていることの一つが、「想像力」と「創造力」を養ってくれたことです。

小説を読んでいると、主人公をはじめとした登場人物の心情や人間関係、背景となっている時代や環境などさまざまな事柄が思い浮かびます。

そうした「想像力」を働かせているうちに、文章に直接描かれていない人間の心理やものごとの本質を読み取る力がついたように思います。それは心理学やマーケティング等を学んだだけでは培うことができない、人間として最も大切な力の一つです。

「想像力」は、「創造力」と深く関わっています。想像力が豊かな人は、今、何が必要とされているか、この人はどうしたいと思っているか、こんなことができればいいのにと、さまざまに思いを馳せることができます。必要とされるモノやサービスが想像できなければ、それを創り出すこともできません。想像力は、アイデアの素であり、創造力の源でもあるのです。

また、さまざまな分野の本を読んでいると、異なった複数のインプットが自分の頭のなかで結び付いて、新しいことを思いつくことがあります。これもまた、創造力を高める力となります。

「見る」「聞く」「話す」などに比べると、「読む」「書く」という技能は、人類の進化過程のずっと後のほうで獲得されたものです。せっかく我々の祖先が獲得してくれたこの技能を退化させず、より活用して、想像力と創造力を鍛えていくことは、ＡＩと共に生きる君たちの時代にこそ、必要となるのではないでしょうか。

学生の質問

Q4

自分の強みや
アピールポイントが
見つけられません。

（S·Wさん）

現役経営者の答え

A4

周囲の人に聞いてみよう。人間、一つや二つくらいは必ずいいところがあります。

強みがないことも強み

野島　これまでの人生で「これは頑張った」とか「この時期は良かった」などを思い出して、それぞれの場面で発揮していた君の良さを考えてみてはどうだろう。今、思いつくことはない？

S・Wさん　ぱっとは思いつかないです。

野島　そうか、思いつかないか。自分で強みやアピールポイントが見つけられないのなら、周囲の人に聞いてみるのもいいんじゃないかな。「私の強みは何?」って。

人間、一つや二つくらいはどこかしらいいところがあるものだよ。うちの会社がまだ1店舗しかなかった頃、地元の高校を中退した子や不良高校生など、いろんな子にアルバイトとして来てもらっていたんだ。その子たちを観察していると、例えば、誰かが困っていたらすぐ助けにいく面倒見のいい子もいれば、頭はいいけれどちょっと時間にルーズな子もいたし、あまり自己主張はしないけれど、遅刻をせず仕事ぶりも非常に真面目な子もいてね。みんな性格も行動も十人十色だったけど、それぞれ仕事で生かせるいいところがあった。

だから、君が見つけようとさえすれば、強みやアピールポイントは必ず見つかるはずなんだ。なんなら強みがないことだって強みかもしれないよ。「なんでも平均的にできる」とも言えるじゃない。

聞くは一時の恥、聞かぬは一生の恥

S・Wさん　自分のことを人に聞くのは、少し恥ずかしいんですが……。

野島　「聞くは一時の恥、聞かぬは一生の恥」という言葉があるけど、僕は子どもの頃から今に至るまで、聞くことを恥ずかしいと思ったことは一度もないんだ。自分が分からないこと、知らないこと、疑問に思ったことなど何でも好奇心を持って質問してきた。それに人間は、意外と自分自身のことを知らないものなんだ。だから自分のことについて聞くことだって、全然恥ずかしいことではないと僕は思う。「今さら自分の強みを教えてほしいなんて……」という気持ちは捨てて、自分では強みが見つけられないことを正直に伝え、聞いてみてはどうかな。そして強みを教えてもらえたら素直にそれを受け止めて、心からお礼を伝えればいい。その一言で、君の役に立てたことが分かり、協力してくれた人はきっとうれしく感じると思うよ。

2：6：2の法則

S・Wさん　本当の強みと言えるものがないのではないかと不安なんです。

野島　君はひょっとして、自信をなくしているのかな。

少し前に僕が面接した子で、有名大学に在籍しているのにすっかり自信をなくしている子がいたんだ。話を聞いてみると、高校時代、部活では常に1番だったのに、大学に入った途端、そこでの順位が下のほうに沈んでしまったらしい。今までは周囲がそれほど強くなかったから自分が1番だったけど、もっと強い人たちがいる場所に移って、相対的に自分の順位が下がってしまったということだろうね。

だけど、集団内で自分の位置が大きく下がることは、長い人生のなかで誰にでも起こりうることなんだ。

君は「2：6：2の法則」というのを聞いたことがあるかな？

S・Wさん　ありません。

野島　「2：6：2の法則」とは、どのような組織・集団も、その構成比率は、上位層2割、中位層6割、下位層2割になるというものなんだ。アリの集団では「積極的に食料を集める、働きのいい2割」「普通の働きをする6割」「怠ける（＝働きの悪い）2割」に常に分かれることが知られていて、同じような現象が人間の組織でも見られるんだ。下位層の2割をその集団から除くと、残りの8割の中で、また2：6：2の層ができる。

そして、ここからが大事なところなんだけど、自分が下位2割になったとき、そこで自暴自棄にならず、自分の良い点・悪い点をしっかり見つめて、努力を重ねることで、人間はそこからまた成長していけるんだ。倦《う》まずたゆまず努力し続ければ、中位層や上位層へ上がっていくチャンスをつかむことができる。僕はこれまで何千人もの従業員の業績の浮き沈みを見てきたけれど、努力ができる人は一度業績が悪くなっても、再び中位層や上位層へ戻ってくるものなんだ。

自信がないときこそ努力するタイミング

野島　もし君が、学業や就活がなかなかうまく進まず自信をなくしているのなら、今が、その努力をするタイミングなんじゃないかな。自分に自信がない、間違えるのが怖い、失敗したら怒られるなど、いろいろと深く考えてしまう君のような人のほうが、実は周到に準備し、こつこつと努力を続ける傾向もあるため、成功する確率は高いと僕は思うよ。

人生で良かった時期や頑張れたことから自分の強みを見つける、褒められたことからヒントを探る、それでもダメなら周囲に聞いてみる。こんなふうにあらゆることを自分でやってみて、強みを見つけられたら、きっと自信が持てるようになるし、そうやって苦しい時期を乗り越えた体験自体が、君の宝物になると思う。

就活期間中に、ぜひ努力して「これだ」という君自身の強みを見つけてほしいな。

COLUMN

就活と仕事に役立つ ノジマウェイ

ヒトとコトを分ける

僕は、部下を褒めたり注意したりするときに、特に気を配っていることがあります。それは「ヒト」と「コト」を分けるということです。

例えば、ミスをした部下を注意するのであれば、「君が悪いのではなく、君の行動が悪いんです」と前置きしたうえで、どこをどう変えていけばよいのかを伝えます。

つまり「コト（行動）」に言及するのです。

そうすれば、注意を受けた人は自分の行動が悪かったのだと気づくことができるし、人格（ヒト）を否定されたわけではないので、素直にそのメッセージを受け止めることができます。

君たちが就職活動をしていると、もしかしたら面接などで厳しいフィードバックを受けることがあるかもしれません。そういうときは、「自分はダメな人間なんだ」と、自分の人格（ヒト）に結び付けて考えるのではなく、「自分の悪い部分を教えてもらえた。よし、これから行動を変えていこう」と行動（コト）にフォーカスして前向きに受け止めるようにすることをおすすめします。

採用する企業側の本音を言えば、学生に対して基本的には「いい顔」をしたいものです。学生に嫌われるような注意や指摘は、できるだけ控えようとします。

逆に言えば、ある企業の面接官が、君の問題点や要改善点をあえて指摘して気づかせてくれたのなら、その企業は、面接で出会っただけの学生に対しても関心を寄せる、温かい企業かもしれません。そこでもらえた貴重なフィードバックを正しく受け止め、改善へとつなげられれば、就活中に君は成長できるでしょう。

学生の質問

Q5

自分に合う企業が分かりません。どのように選ぶべきでしょうか？

（M・Yさん）

現役経営者の答え

A5

フィロソフィーと成長率で選ぼう。

企業の「志」に共感できるかによって働き方が変わる

野島　就職先として企業を選ぶときに重視したほうがいいと僕が思うのは、その企業のフィロソフィーと成長率の二つだな。

M・Yさん　企業のフィロソフィーとは、どういうものでしょうか？

野島　その企業の存在意義や使命、あり方、事業目的などを表したもので、企業理念や経営理念、あるいはパーパスなどの言葉で表現している企業が多いね。

例えばノジマは、経営理念として「お客様に喜ばれてデジタルＧＳ４（Goods･Solution＝（Soft / Support / Service / Setting））を普及させ、日本の発展に貢献する」ことを掲げている。毎日の暮らしを便利に快適に楽しくしてくれる最新のデジタル製品やサービスをどこよりも早く広めることで、日本をよくしていくのがノジマの存在価値であり使命なんだ。フィロソフィーは、その企業の「志」が見える部分であり、そこに共感できるかどうかで、君の働き方も変わってくるんじゃないかな。

逆風が吹く業界でも伸び続けている企業は強い

M・Yさん　何社かの企業理念や経営理念を見たことがあります。どれも素晴らしい考え方でしたが、少し抽象的なので、それだけで判断するのは難しい気がします。

野島　だとしたら、その企業がどれだけ成長しているか、つまり成長率の視点からも見てみるのはどうかな。企業が従業員に給料を支払えるのは、その企業が提供する商品やサービスに対しお客様が価値を感じ、お金を支払ってくれるからなんだ。だから、お客様に喜ばれている企業であれば、基本的に売上や利益は伸びていく。君が興味を持っている企業は成長しているだろうか。

M・Yさん　どの企業も、業績はだいたい右肩上がりで伸びています。

野島　なかなかいい企業に目をつけているようだね。成長率で企業を見るときに一つ注意したいのが、成長はしているものの、必ずしもその企業の実力で伸びているわけではないケースもあるということなんだ。

例えば、コロナ禍における衛生用品業界やゲーム業界などのように、環境要因で業界全体が好調ということはあるよね。その企業に実力がない場合、その環境に変化があれば、業績が悪化することも考えられるわけだ。最もいいのは、業界に逆風が吹いていても、伸び続けている企業なんだ。業界内での売上高や利益の大きさだけでなく、「成長率」で比べてみると、その企業の勢いが分かると思うよ。

就活と仕事に役立つ

ノジマウェイ

人が動く五つの動機

人が心を決めたり、行動を起こしたりする心理的な要因のことを動機と言います。そしてこの動機には、「利《り》・理《り》・情《じょう》・義《ぎ》・志《し》」の五つがあると僕は考えています。

「利」は、お金や利益のことです。お金が儲かるから、自分に利益があるから、という理由で動く人は多いものです。お金で人を動かすのは一番簡単ですが、支払うお金やその人にとってのメリットがなくなれば、その行動は消えてしまいます。

「理」は、理由のことです。納得できる理由があれば、たいていの人は動きます。仕事でも、どれだけきちんと理由を説明できるかで、相手の動きも変わってくるものです。

「情」は、情熱の意味です。人に本気で動いてもらいたいなら、それをするべき理由だけでなく、依頼者である自分の思いや熱意も伝えたほうがよいでしょう。

「義」は義理や恩のことです。相手に対して義理や恩義を感じていると、人はその義に背かないよう懸命に動きます。日頃から人のために尽くしていれば、「あの人に頼まれたからには、なんとしてもやり遂げよう」と動いてくれる人も増えるものなのです。

最後の「志」は、こころざしのことです。世の中に対して、善きこと・正しいことをするという誓いであり、五つの動機のなかで、人を動かす力が最も大きいと僕は考えます。企業で働く何千人・何万人もの人々の力を一つの方向にまとめあげていくには、高い「志」は欠かせません。企業のフィロソフィーを示す企業理念や経営理念、パーパスなどには、その企業の志が含まれていると言えます。

学生の質問

Q6

スーパーのアルバイト経験を生かしたいのですが、どんな業界・業種がおすすめですか?

（R・Nさん）

現役経営者の答え

A6

業界にこだわりすぎず、自分が成長できる企業を選ぼう。

どんな業界や業種も衰退や消滅の可能性がある

野島　スーパーでは、どんな仕事をしていたの？

R・Nさん　主にレジ打ちをしていました。

野島　そうすると、バックヤード業務ではなく、比較的お客様との接点が多い仕事をしていたようだね。きっと君は自然な笑顔で接客ができるのでしょう。もし、そうなら、サービス業や小売業などがいいのではないかな。

ただし、長い目で考えるなら、就活ではあまり業界や業種にはこだわりすぎないほうがいいと僕は思うよ。

R・Nさん　それはなぜですか？

野島　技術の進展や競争条件の変化により、その業界や業種自体が衰退あるいは消滅してしまうことがあるからなんだ。例えば、明治維新から大正・昭和にかけて日本を牽引してきたのは繊維業界だった。その後、戦争の時代に入ると、軍需産業である重化学工業が栄え、戦後は日本の家電や自動車が世界を席巻し、日本の経済を支えてきたんだ。

じゃあ、それらの業界が令和の日本でどうなっているかと言うと、残念ながらどの業界もグローバルで勝ち残れるほどの競争力はもうなくなってしまった。

繊維業界で言えば、先端材料の開発等で事業転換したいくつかの企業は別として、その他は軒並み衰退したし、名門と言われたカネボウも経営破綻してしまった。

また、かつては日本の主力産業であり、世界で高いシェアを占めていた日本の家電メーカーも、その地位を今は中国や韓国のメーカーに奪われてしまっているんだ。三洋電機はパナソニックの、シャープは台湾の鴻海精密工業の子会社となり、東芝のような日本を代表する企業ですら経営が傾き、官民ファンドによる救済が必要な状態となっているんだよ。

マニュアル化された作業では成長できず雇用も危うい

R・Nさん 業界・業種でないのなら、どんな基準で就職先を選べばよいでしょうか？

野島 「自分が成長できる企業かどうか」という視点で選ぶべきだと僕は思うな。

例えば、君がある企業に就職したとしよう。その企業で君が担当する仕事のほとんどが、マニュアル化されたルーチン作業だとしたら、君の雇用はどうだろう、ずっと守られるだろうか？

R・Nさん　マニュアル化されたルーチン作業なら誰にでもできるので、経営が厳しくなれば、より安い給料で働く人たちにとって代わられる可能性が高いと思います。

野島　その通り。時給の安い非正規雇用労働者（パート・アルバイト・派遣）を大量に雇って、それでビジネスを回している企業では、正社員になっても給料は上がりにくい構造があるんだ。高い給料がもらえるのは、ほんの一握りの人。それよりは、より価値の高い仕事ができるように、君に成長を促してくれる企業のほうがいいんじゃないかな。そのような企業であれば、君の努力次第で給料や職位が上がり、ビジネスパーソンとしても、個人としても、幸せな生活を送れると僕は思うよ。

従業員の成長は売上や利益の伸びに反映される

R・Nさん　その企業で成長ができそうかどうかは、何を見れば分かりますか？

野島　まず、そういう企業は、結果論ではあるけれども、売上や利益が伸びているという特徴が見られるんだ。正しい方法で従業員の成長を促していれば、お客様に喜ばれるはずで、それは必ず売上や利益に反映されるからね。

それから、きちんとしたフィロソフィーを持っていることも重要だ。ビジネスを金儲けの手段としてしかとらえていない企業では、結果だけを追い求める組織風土になりがちなため、時間も手間もかかる人材育成には熱心でないことが多いんだ。

反対に、まっとうな方法でビジネスを続けている企業は、きちんとしたフィロソフィーを掲げ、その哲学のもと、従業員が成長できるよう、努力を促してくれるものなんだ。その企業のフィロソフィーや人材育成に対する考え方が分かる書籍などがあれば、それを読んでみて見極めるのも一つの方法じゃないかな。

ノジマのリアル

キャリアを止めるな

ノジマの女性は、皆とても元気です。

「ノジマで生き生きと活躍している女性と言えば？」というキーワードで僕の脳内を検索すれば、新卒入社6年目で人財育成グループ長を任せられたFさん、アルバイト職のまま社内の要職を歴任し34歳で執行役（社内役員）になったIさん、シングルマザーとして奮闘しながら店舗でも若手育成に貢献してくれているMさんなど、何人もの女性の笑顔がたちまち思い浮かんできます。

実際、ノジマの管理職に占める女性の割合は、14・2%(2022年度実績)です。これは日本企業全体の12・7%を上回っており、この数値は年々上昇傾向にあります。なぜノジマでは、これだけ多くの女性が生き生きと活躍できているのか。その秘密を少しだけ紹介しましょう。

◆男女の差なく仕事が任せられる

そもそもノジマでは「女性だから」「若者だから」という観点で人を見る文化がありません。性別も年齢も社歴も雇用形態も一切関係なく、「その人には何ができるか」を見極めて、チャンスと責任を与えます。

自分の可能性を試し、思いっきり仕事に打ち込んでみたい。そんな人なら、ノジマの自由闊達な社風のもと、のびのびと思う存分に仕事ができるでしょう。

◆継続的にキャリア形成ができる

いずれ結婚や出産を考えている女性にとっては、仕事を続けていけるかどうかは気になるところでしょう。日本では近年、妊娠・出産を機に女性の就業率が極端に低下する「M字カーブ」は解消されつつありますが、実はM字の谷を境に働き方が非正規雇用に変わる人は多いのです。これは、出産・育児期に正社員の仕事を離職してしまうと、再度正社員として働くことが難しい現実が日本にはあるからです。

女性がキャリアラダー（はしご）から下りてしまうこのような状況を防ぎ、出産や育児と仕事を両立させ、継続的にキャリアを積んでいけるように、ノジマでは、産休・育休制度の活用を推進しています。

産育休取得率については、男性の育休取得率は44％と、従業員１０００人超企業の平均値をわずかに下回っており企業努力が必要ですが、女性の取得率は１００％となっています。また、育休からの復帰率は、全体で98％となっており、復帰後も仕事とプライベートを両立させて活躍している従業員が多くいます。

◆ライフステージに合わせ柔軟な働き方が可能

産休・育休後の従業員には、時短勤務や希望地への配属などを行い、子育てとの両立がしやすい環境を整えています。ノジマでは、育児・介護休業法で示されている原則1日6時間の時短勤務に変形労働時間制を組み合わせることで、1日2〜10時間の中で1日の労働時間を自由に調整することが可能です。

また、カスタマーセンターなどの一部の職場では、時間単位での勤務が難しい育休中の人を対象に、お客様対応1件につき報酬を支払うアルバイト制度を導入しています。柔軟な働き方の選択肢を増やし、少しでも仕事を続けやすくすることで、収入を得る道を拓くとともに、フルタイム勤務復帰へのハードルをできるだけ低くしているのです。

学生の質問

Q7

今後伸びる業界に就職したいです。成長が見込める産業・業界はどこだと思いますか?

(I・Kさん)

現役経営者の答え

A7

産業や業界ではなく「成長している企業」を見つけよう。

今後の日本で大きく伸びる産業・業界はない

野島　グローバルで見ると、伸びているのはグーグルやアマゾン、マイクロソフトやアップルなど、世界のデファクトスタンダード（事実上の標準）となるような新しい商品・サービスを生み出すアメリカのビッグテックなんだ。

ただ残念ながら、アメリカのビッグテックのような強い企業は今の日本には存在せず、したがって今後大きく伸びる産業・業界もなさそうだと僕は考えている。売上・営業利益・従業員数とも日本一のトヨタ自動車ですら、世界の時価総額ランキング（現在の株価に発行済株式数をかけて求められる、企業を評価するうえでの重要指標）でようやく39位（2023年3月末時点）に入っているくらいで、それ以外に世界で通用する企業はないのが日本の現状なんだ。

I・Kさん　世界のデファクトスタンダードとなるような商品やサービスを、現在の日本企業が生み出せないのはなぜでしょうか？

野島　原因はいくつかあると思うけれど、一番大きいのは、高い志を掲げる企業が少ないからではないかな。

例えば、スペースXやテスラ、X（旧ツイッター）の経営者として知られるイーロン・マスクは、「人類と地球を救う」という壮大な使命感のもと、ビジネスを展開しているんだ。民間の部品を使って10分の1のコストでロケットを打ち上げたり、持続可能エネルギーへの移行を加速するために電気自動車を生産したりしているのも、彼にとってはすべて人類と地球を救うためなんだ。日本で、これほどスケールが大きく、高い志を掲げる経営者は見たことがないな。当然、世界中で喜ばれる商品・サービスを生み出す力も、今の日本企業には残念ながらないんだ。

将来性があるのは小さくても伸び続けている企業

I・Kさん　それでも日本で就職したい場合は、どうすればいいでしょうか?

野島　日本企業に就職するなら、産業や業界ではなく、企業単位でよく見て「成長している企業」を見つけるのがいいだろうね。江戸時代の思想家・二宮尊徳の言葉に「積小為大」というものがある。小さな努力をこつこつと積み上げていけば、いずれは大きな収穫や発展に結び付くという教えの通り、君の将来を託すなら、小さくても伸び続けている企業がいいと思う。いくら大きくて知名度が高い企業でも、成長が止まっているような企業では、先行きが心配だからね。

強いて産業や業界を挙げるなら、衣食住に直接つながるビジネスであれば、消えてなくなることは少ないだろう。日本に人がいる限り、衣食住に関する需要は必ずあるからね。

今のところ、日本から革新的な商品・サービスが出てくることは正直、あまり期待できないけれども、君たちの時代には、ぜひ世界中の人々に喜ばれる日本発のビジネスを生み出していってほしい。

学生の質問

Q8

小売業の仕事に就くことに反対されています。小売業に未来はないのでしょうか？

（D・Fさん）

現役経営者の答え

A8

リアル店舗での販売は必ず残る。

リアル店舗ならではの良さ

D・Fさん　「リアル店舗での販売は、今後はECやAIにとって代わられる」という理由で、小売業の仕事に就くことを反対されています。

野島　リアル店舗での販売は、必ず残ると僕は思うよ。現に、流通先進国のアメリカでは、全小売業に占めるネットビジネスの割合は30〜35%で頭打ちだと言われているんだ。だから小売業のすべてがＥＣにとって代わられることはないだろう。リアル店舗にはリアル店舗の良さがあるからね。

Ｄ・Ｆさん　ＥＣにはない、リアル店舗の良さとはどういうものでしょうか？

野島　まず、商品の実物を見たり触ったりできること。そして、いろんな商品を目の前で比較できること。商品を購入しようとしているお客様にとっては、重要なことだよね。それから、これは親身になって相談に乗ってくれる従業員がいるということが前提なんだけど、商品購入時にお店の人に責任転嫁ができることも、リアル店舗の良さの一つだと思うな。

Ｄ・Ｆさん　お店の人に責任転嫁ができると、何がいいんですか？

野島　僕はノジマでしか働いたことがないので、ノジマの例になってしまって申し訳ないんだけど、例えば、うちのお店で言えば、高額な商品はご夫婦やご家族で買いに来られることがほとんどだ。そうすると、旦那さんはこっちの商品がいいと思ってるけど、奥さんはあっちの商品がいいと思っている、というように、意見が割れることがあるんだ。そういうときに、普段感じている不自由さや要望をお店の人に伝えて、それに一番合った商品をすすめてもらって決めれば、お客様は後悔することが少ない。万が一、家で実際に使ってみて不満が出たとしても、「あなたがこっちがいいって言うから、買ったのに……」みたいな理由で、夫婦喧嘩は起こらないんだ。君も結婚したら分かると思うけど、家庭の平和にとって、これは結構重要なことなんだよ（笑）。

人間同士だからこそ生じる買い物の楽しみ

D・Fさん　商品のおすすめだけに限定すれば、人間ではなく生成ＡＩでも接客は可能になるのではないでしょうか？

野島　生成ＡＩでの接客も、いずれは可能になるだろうけれども、それだけでは幸せホルモンのオキシトシンは分泌されないと僕は思うな。

D・Fさん　オキシトシン、ですか？

野島　人間が幸せを感じるときに、脳内には幸せホルモンと呼ばれる物質が分泌されているんだ。代表的な幸せホルモンとしては、セロトニン、ドーパミン、オキシトシンの三つがあってね。このうちオキシトシンは愛情ホルモンとも呼ばれ、うれしい・楽しい・心地よいと感じることにより分泌される。人との会話でも、それが心地よいと感じられる場合は、オキシトシンが分泌されると言われているんだ。

実際の店舗で、親身になってくれる従業員とあれこれ相談しながら購入商品を決める時間は、とても楽しいものだよね。そして、こうした買い物の楽しみは、人間同士だからこそ生じるものだと僕は思うな。

D・Fさん　とすると、ノジマでは、接客に生成ＡＩは使わない予定なんですか？

野島　うちでは、まず人材育成の場面で生成ＡＩを導入する予定なんだ。それで試しながら、お客様に喜んでいただくための生成ＡＩの活用方法も考えて、接客にも取り入れていこうと考えているよ。

COLUMN

野島流 幸せに生きるヒント

幸せホルモンを増やそう

自律神経の専門医で順天堂大学医学部の小林弘幸教授から、コロナ禍の病院で、がんや骨折・捻挫のほか、うつ病の人が増えたという話を聞きました。OECD（経済協力開発機構）の調査でも、新型コロナウイルス感染拡大の影響で、うつ病やうつ状態の人の割合が2倍以上に増加したことが明らかになっています。コロナ禍に学生時代を過ごした人々のなかには、幸せホルモン（セロトニン・オキシトシン・ドーパミン）の分泌が少ない人もいるのではないかと僕は少々心配しています。この本を手にとってくれた君たちには、幸せホルモンの働きやコントロール方法を知って、より幸せな人生を歩むヒントにしてもらいたいので、ここで簡単に紹介します。

◆やる気を高めるドーパミン

ドーパミンは、喜びや快楽、意欲をもたらす働きがある神経伝達物質です。

人間は、ある行動をしてドーパミンが放出されて快感を覚えると、脳がそれを学んで、その行動をもっと続けたくなるそうです。美味しいものを食べる、好きな音楽を聴く、友達と楽しい時間を過ごすなどの行動をとると、脳はドーパミンをたくさん分泌するようになります。

また、目標を達成したときや成功体験を積んだときにも、ドーパミンが働き、やる気や満足感を生み出します。例えば、仕事で高い目標を掲げてそれをクリアしたり、難しい仕事をやり遂げたりすると、ドーパミンが大量に放出され、強い達成感・満足感を得ることができるのです。

ドーパミンは、分泌が十分でないと、無気力になったり、無感動や無関心などの状態を引き起こします。その一方で、分泌が過剰になると、過食やアルコール依存、買い物依存、ギャンブル依存などの問題を引き起こすとされています。したがって、健康的な方法で楽しみや達成感を追求することが重要です。

◆ストレス耐性を高めるセロトニン

セロトニンは、気分や感情をコントロールするのに役立つ神経伝達物質です。強いストレスにさらされたときに出るノルアドレナリンや、快感や多幸感に影響するドーパミンの暴走を抑制し、精神状態を安定させる働きがあります。

セロトニンが不足すると、やる気や集中力が低下する、不安感が強くなる、落ち込みやすくなる、イライラして切れやすくなる、寝つきが悪く不眠になるなど、さまざまなメンタルの不調を引き起こす可能性があります。

セロトニンの分泌促進には、セロトニンの原材料となるトリプトファンを含む食品（大豆製品や乳製品）を摂る、日光浴をする、リズムを刻む運動（ウォーキングやジョギングなど）を行う、などが効果的だと言われています。

◆愛情や絆を育むオキシトシン

オキシトシンは、愛情や絆を深めるときに重要な役割を果たす神経伝達物質です。

例えば、赤ちゃんが生まれると、お母さんの体内でオキシトシンがたくさん分泌され、授乳する・寄りそう・世話をするなどの母性行動を促します。世話をされた赤ちゃんの脳からも同様にオキシトシンが分泌されます。これにより、お母さんと赤ちゃんの間に強い絆が生まれ、赤ちゃんはお母さんの愛情と安心を感じることができるのだそうです。

また、オキシトシンは、母子間だけでなく、すべての人のストレス状態を軽減させ、不安や心配などを緩和させる働きがあることも近年明らかになってきました。オキシトシンが分泌されると、ストレッサー（ストレスの原因）に過剰に反応していた脳をなだめて、平常の状態に戻したり、脳の疲れを癒やしたり、気分を安定させたりするといった作用があると言われています。

オキシトシンの分泌促進には、心と体に心地よいと感じることが効果的と言われており、例えば家族や恋人、ペットとスキンシップを図る、心許せる人と食事や会話を楽しむ、人に優しくする、などの行動が該当します。

学生の質問

Q9

日本では少子高齢化が進んでいます。家電販売事業は、今後、大丈夫なのでしょうか?

(U・Sさん)

現役経営者の答え

A9

家電の市場規模自体は、当面は横ばいで推移すると予測。

家電は衣食住すべてに欠かせない存在

野島　確かに少子高齢化が進む日本では、人口自体は減っていくんだけど、家電の市場規模は、ほぼ横ばいで推移すると僕は予測しているんだ。

U・Sさん　なぜそう思われるんですか？

野島　大きく分けて、二つの理由がある。

一つめの理由は、家庭内で使用される家電製品の数が、今後増えていくから。現代の生活では、家電製品は衣食住すべてに対して機能しており、ＡＩやＤＸ（デジタルトランスフォーメーション）などのテクノロジーの進化によってその重要度が増しつつある。また、それぞれの家電製品が情報機器や通信機器とつながって、これまでになかった新しい使われ方も生まれてきているんだ。今後も、一つの家庭内で使用される家電製品の数は、増えることはあっても減ることはないと僕は考えているよ。

もう一つの理由は、家電製品の単価自体が上がっているからなんだ。極端な例で言えば、30年ほど前は洗濯機は３万～５万円くらいだったんだけど、今は10万円超の商品が主流になっている。携帯電話でも、かつては２万～３万円くらいで買えたけど、今や10万円超えが当たり前だよね。きっと君が使っているスマホもそれくらいするんじゃないかな。家電製品や通信機器の高機能化によって、今後も単価は上がっていくことが予測される。

一つの家庭当たりで使用される家電製品の数が増えて、さらに単価も上昇傾向にあるため、それらによって人口減少分は十分にカバーされるだろうというのが、僕の見立てなんだ。

U・Sさん 市場規模が横ばいならば、ノジマ自体は成長できないのではないでしょうか？

野島 なかなかするどいところを突くね。君も知っての通り、企業間の競争では、マーケットシェアを取れる企業、つまりお客様に支持される企業だけが生き残れる。ノジマは今、首都圏の家電製品マーケットのおおよそ20％のシェアを握っているんだけど、お客様に喜んでいただけるようなアイデアと行動で、今後数年でこれを30％に上げていく予定なんだ。ノジマのマーケットシェアが50％を超えたときには、戦略を変える必要があるけれども、当面はノジマの良さを生かした今の戦い方で伸び続けられると考えているよ。

学生の質問

Q10

対面の面接が苦手です。克服するにはどうしたらいいでしょうか？

（M・Mさん）

現役経営者の答え

A10

格好つけるのをやめて、自分の心にあることを正直に話そう。

面接官に「よく思われたい」という気持ちを脇に置く

野島　対面の面接の、どういうところが特に苦手なの?

M・Mさん　知らない人の前だと、緊張してしまってうまく話せないんです。

野島　そうか、緊張してしまうんだね。ひょっとしたら、君は面接で格好つけようとしているんじゃないかな。

僕も、大勢の人の前で話すときは、いまだに最初の1分くらいはドキドキして、うまく話せないことがあるんだ。きっと「聞いてくれる人たちに、少しでもよく思われたい」という気持ちが働いているからなんだと思う。でも、「今さら格好つけてもしょうがないな。話すことに集中しよう」と割り切ると、だんだん緊張も解けてきて、普段通りに話せるようになっていくんだ。

だから君も「面接官によく思われたい」という気持ちはいったん脇に置いて、自分の心の内にあることや考えていることを、すべて正直に話してみてはどうだろう。

準備が自信になる。時間を決めて話す練習を

M・Mさん　面接前に何かしておいたほうがいいことはありますか？

野島　やはり事前準備は必要だろうね。

例えば、採用担当者から聞かれそうな質問を想定して、話す内容を考え、声に出し

て答える練習をしてみるとか。声に出して練習をしておけば、1分で話せること、3分で話せることが感覚的に分かり、実際の面接でも時間を気にして焦ったりすることを防げるだろう。こういった準備を十分しておけば、それが自信となって、少しは落ち着いて話せるんじゃないかな。

M・Mさん　それでも緊張してしまったら……？

野島　君にとって身近で話しやすい相手、例えば親御さんやきょうだいを思い浮かべながら話してみるのも、いいかもしれないよ。

そして、それでも緊張してしまったら、もう諦めるしかない。人間誰しも、いつもと違う環境では緊張するものだからね。言葉に詰まってもいいから、とにかく自分の考えを正直に話せば、面接官だって人間なんだから分かってくれるはず。

そもそも面接官は、君がどんな人物かを知りたくて、いろいろ質問しているんだ。君の良さを知ろうとしていると思えば、それほど面接も怖くないんじゃないかな？

正直に話す覚悟があればリアルのほうが有利な可能性

M・Mさん　オンラインの面接とリアルの面接があった場合、自分はオンライン面接を選びがちなんですが、どちらが有利・不利というのはあるのでしょうか？

野島　うちの会社では、面接の形式で優劣をつけないように極力注意はしているけど、面接官も人間だから、多少のバイアスは生じるかもしれないね。

実際、オンラインとリアルで比べると、リアルの面接のほうが、面接官も学生もお互いに正直にならざるをえないんだ。リアルだと、顔の微細な表情、わずかな声のトーンの違い、目や手や足の動きなど、人の心の動きを表す情報がより多く発信されるからね。

話している内容と、それらの情報が一致していれば、多少口下手でもその思いは相手にきちんと伝わる。逆に、話している内容とノンバーバル（非言語）情報にズレがある場合、「ひょっとして、本心を語ってくれていないのではないか」という印象を面接官に与えてしまうこともあるだろう。

緊張してうまく話せないのなら、そして、自分をとりつくろわず、正直に話す覚悟があるのなら、オンラインよりもリアルの面接のほうが、君の場合は有利かもしれないね。

そして君に相手を観察する心の余裕があれば、面接官が正直に話しているかどうかをリアルで見極めることもできるんじゃないかな。

就活と仕事に役立つ ノジマウェイ

ネームコーリング効果

相手の名前をきちんと覚えて、個人対個人として接することは、人間関係においてプラスに働きます。

アメリカの大学の心理学実験で、男女のペアに15分間会話させて、相手の名前を呼ばずに会話した場合と、相手の名前を呼びながら会話をした場合でどのように印象が変わるかを調べたところ、名前を呼んだグループのほうが、名前を呼ばなかったグループより相手に好印象を抱いたそうです。名前を呼ぶというシンプルな行為が、人と良好な関係を築くうえで大変有効であることを示している実験結果ではないでしょうか。

僕は仕事でいろんな方と話をする機会がありますが、できるだけ相手の名前をきちんと覚えて、名前で呼びかけるようにしています。そうすることで、お互いの心の距離が近くなり、早く本音で話し合えるようになるからです。

君も、面接などで企業の人と出会ったら、相手の名前をきちんと覚えて、「○○様、本日はお時間をいただきありがとうございます」と伝えてみてはどうでしょう。

自分から相手に近づく努力をしていることが伝わり、きっと良い印象を持ってもらえることでしょう。

---- CATEGORY ----
就職活動

学生の質問
Q11

就活で
失敗したくありません。
どうしたら失敗せずに
すむでしょうか？

（E・Iさん）

現役経営者の答え

A11

①自分の正直な姿を見せる、②正直な企業を見つける、③「ここなら努力し続けられる」と思える企業を選ぶ。この3点を守ろう。

「自分を偽って入社しても後から苦しくなる」

野島　就活は、ビジネス人生におけるスタート地点であり、人生のターニングポイントでもある。君にとって非常に重要な活動だから、失敗したくない気持ちはよく分かるよ。

僕は過去に『失敗のすすめ』という本を書いていて、仕事で失敗することを大いにすすめているけれども、社会人として最初に働く企業選びに関しては、失敗してほしくないと思っているんだ。社会人3年目までの環境とそこでの経験が、ビジネスパーソンとしての基本スタンスをつくり、その後のビジネス人生に影響を与え続けるからね。君に合った良い企業・良い環境をきちんと選んで入社してほしいなと思うよ。

E・Iさん　就活で失敗しないために、具体的にはどんな点に気をつければよいでしょうか？

野島　就活で失敗しないためには、①自分の正直な姿を見せること、②正直な企業を見つけること、③「ここなら努力し続けられる」と確信できる企業を選ぶこと、この3点が大事だと僕は思うな。

E・Iさん　なぜその3点が大事なのでしょうか？

野島　「自分の正直な姿を見せること」が大事なのは、企業とそこで働く人との間に、基本的には相性というものがあるからなんだ。

仮に自分を偽って有名企業に入社したとしても、そこが君と合わない企業だったら、どんなことが起こるだろうか？

E・Iさん　働くのが苦しくなりそうです。

野島　そうそう、その通り。例えば、君は本当はお客様に役立つことを大切にしたいのに、売上や利益ばかりを追いかける企業に入ってしまったら、お客様への思いと企業の方針との間で板挟みになり、毎日毎日苦しい思いをすることになるよね。

そういう事態を避けるには、面接などで、できるだけ自分の正直な姿を見せて、仕事に対する考えも正直に伝えたうえで、企業に評価してもらうことがとても大切だと思うんだ。

また、相性という意味では、就活生だけでなく、企業側も偽らず実態を見せる必要があるだろうね。そういう意味で「正直な企業を見つけること」も大切だよ。

E・Iさん　どんな企業が正直な企業なのでしょうか？

野島　企業としてのフィロソフィーをしっかりと掲げ、それがきちんと浸透していれば、真面目で正直な企業だと僕は思うな。本気で取り組まない限り、これはなかなか難しいことだからね。

例えば、その企業のウェブサイトに書かれている企業理念や経営理念、あるいはパーパスやビジョンなどをよく読んで、実際に君が会ったその企業の人たちの行動や考え方と照らし合わせてみれば、フィロソフィーがどれほど浸透しているかが分かるはずだよ。

「人を使う」ではなく「人を育てる」企業

E・Iさん　三つめの「ここなら努力し続けられる」と確信できる企業を選ぶ、というのが難しそうなんですが。

野島　ちょっと抽象的な言い方になるけど、僕は「愛がある企業」であれば、そこで働く人々は努力し続けられると思っているんだ。

E・Iさん　愛がある企業とはどんな企業ですか？

野島　愛がある企業の前に、一つ質問。君は愛の反対語は何だと思う？

E・Iさん　憎しみですか？

野島　マザー・テレサによれば、愛の反対は、憎しみではなく無関心なんだ。だから、愛がある企業とは、共に働く仲間に対して温かい関心を寄せる人が多い企業だと僕は考えている。

愛がある企業なら、周囲の人が新入社員一人ひとりに対して関心を寄せ、その人の良い部分を引き出そうとして関わろうとするだろう。そうした温かな携わりが、新入社員自身に努力を促し、早期の成長を助けていくものなんだよ。

親は自分の子どもが、いずれ自立して生きていけるよう、厳しく温かく見守りながら愛を持って育てるよね。その子どもが社会に出てからは、企業が親代わりとなって、愛を持って育てる役割を引き受けるのだと僕は考えているんだ。

ノジマで新入社員の育成に携わる人々に、僕は時々「もっと愛を持て」と諭《さと》すことがある。入社したての頃は、悩みや迷いが多いもの。でもそれを自分から言い出すのはなかなか難しい。そんなときに、周囲の先輩や上司から「最近、どう?」と声を掛けられ、話を聞いてもらえたら、新入社員は言葉に出せなかった心の内を話せるようになるよね。そして悩みや迷いの中身が分かれば、先輩や上司も改善する方法を一緒に考えたり、行動に向けて励ましたりして、前に進む手助けができる。このような細やかな目配りと温かい携わりが、社会人初期の大切な時期には特に必要なんじゃないかと僕は思うんだ。

「人を使う」というスタンスの企業も世の中には少なくないけれど、ノジマは「人を育てる」企業でありたいから、そういう思いを込めて「人間愛がある経営」を経営理念のなかに掲げているんだ。

---- CATEGORY ----
内定

学生の質問

Q12

人事の方の人柄に惹かれ、ある企業に入社しようと考えています。そんなことで決めるのは、まずいでしょうか？

（A・Kさん）

現役経営者の答え

A12

人事の人を通じてその企業の良さが感じられているなら問題ない。

決め手は人柄でもよいが、企業研究はしておく

野島　人事の人柄に惹かれて入社を決めること自体は、悪いことではないと僕は思うな。「かわいいから」「イケメンだから」など、人事の人の外見に惹かれて入社を決めてしまうのは危険だけど、彼らを通じて、その企業の良さが十分に感じられているのなら、最後の決め手が「人事の人柄」であっても僕は構わないと思う。

A・Kさん　今、内定をもらっている3社とも、人事担当者はいい人ばかりです。正直、まだ迷っています。

野島　どこの企業も、新卒の採用担当には、人間的に魅力のある人材を多く配置しているんだ。人事の人柄だけで就職先を選ぼうとすると、なかなか決断できなくなるのも無理はないと思うよ。だから、その前の段階でしっかりと企業研究をしておくことが大切だね。

A・Kさん　企業研究というとどんなことでしょうか？

野島　他の人の質問でも答えたんだけど、まずは、その企業が掲げているフィロソフィーに対して、君自身が共感できるかどうか。さらに、その企業が成長しているかどうかも忘れずにチェックしたいところだね。これは売上や利益のトレンド（数年単位での推移）を見ると分かるはず。企業規模はそれほど大きくなくても、売上や利益が毎年伸び続けている企業を選んだほうが、君のビジネス人生にとってはいいだろう。

こうした観点で企業を研究し、ある程度のレベルに達していると判断できるなら、最後は人事の人柄で決めても問題はない。

もしまだ本当に迷っているなら、人事以外の部署、例えば君が配属される可能性のある部署の人にも会わせてもらってはどうかな。人事以外でも魅力的な人材が多く働いていることが分かれば、君の迷いもひょっとしたら消えるかもしれないよ。

A・Kさん　自分の人生を左右する就活なのに、人柄ばかりが気になってしまう学生に対し、野島さんはどう思われますか？

野島　人に対して興味を持ったり、人に惹かれたりするのは、素晴らしいことだと僕は思うよ。そういう人は、共に働く仲間のことをよく知ろうとして一生懸命コミュニケーションを図る傾向があるしね。また、人の気持ちにも敏感だから、温かい職場づくりには欠かせない存在になる可能性があると思うな。

---- CATEGORY ----
内定

学生の質問

Q13

第一志望の企業から内定が出たのに、親から公務員をすすめられ困っています。どうやって説得すればよいでしょうか?

（K･Hさん）

現役経営者の答え

A13

その企業で働く魅力、個人としての成長、安定性への備えなど、複数の観点から比較して伝えてみよう。

公務員と民間企業、それぞれに良さがある

野島　親御さんが公務員をすすめているのは、なぜなのかな?

K・Hさん　公務員のほうが安定しているからです。

野島　それに対して、君はどう思っているの?

K・Hさん　安定よりも、仕事にやりがいや手応えを求めたいと思っています。

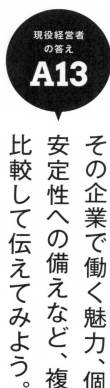

野島　それなら、民間企業のほうがいいだろうね。まず、公務員と民間企業の仕事の特徴を比較してみよう。公務員の仕事、なかでも一般職の仕事は、定められた規則やマニュアルに従って、その範囲内で仕事をすることを求められることが多いんだ。つまり個人の工夫や裁量の余地が少ないということ。君がそういう仕事が好きなら、親御さんのすすめに従って、公務員になるのも悪くないだろう。

また、処遇は基本的に年功序列で決まるので、君がどれだけ仕事で頑張ろうとも、給料は同期とあまり変わらない。頑張った人が報われない人事制度は、そこで働く人々のモチベーションを下げるほうに働くので、仕事を通じた個人の成長や組織の進化を促しにくい傾向があると僕は思う。

さらに、公務員の仕事は、つぶしが利きにくいという特徴がある。もし公務員の仕事が合わず、やむなく転職する場合、君は結構苦労することになるかもしれない。公務員は仕事に対する考え方や働き方が民間企業とは全く異なるので、転職活動中はもちろん、転職後も自ら変わる努力が強く求められるだろう。

もちろん、民間企業とは違って倒産することはないので、仕事を失う恐れはない。この点は親御さんのおっしゃる通りで、安定性を求めるなら、公務員の仕事に軍配が上がるね。

健全な競争がある民間企業なら個人も成長しやすい

K・Hさん 民間企業の仕事の特徴はどうでしょうか?

野島 民間企業、特に成長している民間企業の仕事では、日々変化するお客様や市場のニーズに応えていくことが求められるんだ。規則やマニュアルに頼ってばかりいては変化に対応できないので、自ら考え工夫することが重要になる。

仕事で工夫してお客様に喜んでいただき、その結果、業績が上がれば、それが給料や処遇に反映されるのも民間企業の特徴だね。自分の仕事の良し悪しがダイナミックに結果として表れるので、仕事にやりがいや手応えを求めるなら、民間企業で働くほうがいいだろうね。
　個人の成長が促進されやすいというのも、民間企業の特徴だと僕は思う。マーケットで企業同士が競争しているように、健全な企業であれば、社内での競争を促すため、個人も成長しやすいんだ。最近は若手の抜擢を推進する企業も増えているから、自ら努力して仕事ができるようになれば、若いうちからいろいろな仕事に挑戦したり、さまざまなポジションで活躍できたりする可能性があると思う。転職をすすめるわけではないけれど、スキルを十分に高めた人なら、なんらかの事情で転職をする場合でも、比較的早く次の仕事を得ることができるだろう。

図表　著者が考える公務員と民間企業の比較

	公務員	民間企業（ノジマの例）
働き方の特徴	規律を重んじる	自主性を重んじる
組織内競争	総合職：競争あり 一般職：競争なし	競争あり
人事評価	基本的に年功序列	貢献序列。努力が成果・評価に反映される
雇用	安定している	事業内容や業績によって変化
有給休暇	任官後すぐに15～20日付与 ※任官日によって日数は異なる	入社半年経過後、10日付与

民間企業の仕事は、安定性では公務員にかなわないけれども、しっかりとしたフィロソフィーを掲げ、成長を続けている企業を選べば、仕事を失うリスクは軽減できるはず。公務員の仕事と民間企業の仕事を比較してみて、君ならどんなふうに親御さんを説得するかな？

K・Hさん　自ら考え工夫することが許されるので、やりがいを持って仕事ができそうなこと、きちんとした企業を選び、そこでビジネスパーソンとして成長していくことで、結果的に経済的な安定も得られそうなことを両親には伝えたいと思います。

野島　きっと親御さんも最後には分かってくれるはずだよ。親の願いは、結局のところ、子どもが自立し、幸せに生きていくことだからね。

もし親戚やきょうだいに民間企業で勤めている人がいるなら、最後はその人たちに援護射撃を頼むのもいいかもしれない。親御さんの説得、がんばって。

学生の質問

Q14

内定先の企業で
やっていけるか
不安になってきました。
今からでも
就活をやり直したほうが
よいでしょうか？

（N·Sさん）

現役経営者の答え

A14

不安を感じている点について情報収集を。それでもその企業で努力できないと思うなら、就活をやり直そう。

まずは何が不安なのかを明らかにする

野島　まず、不安を不安のままにしないことが大事だと思うよ。君が不安を感じている点を明らかにして、そのことについて内定先の企業の実態はどうなっているのかを、一度きちんと調べてみればいいんじゃないかな。

その企業に対して、例えばどんなことを不安に感じているの?

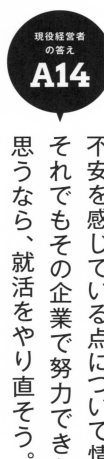

N・Sさん　ネットでその企業の悪い口コミを見まして……。入社2年目で大きな仕事を担当することになった人が、周囲からの支援もなく失敗に終わったという内容で、そんな環境で自分がやっていけるのかが心配になってきました。

野島　つまり、実力に見合わない仕事に挑戦させられるかもしれないことへの不安と、困ったときに誰も助けてくれないかもしれないことへの不安ということだね。

その不安を解消するには、どんなことが分かればいいと君は思う？

N・Sさん　若手社員の育成制度や、大きな仕事を任せるときの判断基準、先輩や上司によるサポート体制などが分かると、多少不安は和らぐと思います。

野島　君が内定をもらった企業は、若手に思い切って仕事を任せることで、大きく成長させることを狙っているようだね。そういう企業なら、君が今、挙げたような制度面の話と併せて、実際に若手社員の人がどんな仕事を任されているのかや、難しい点はどこか、失敗しそうなときや失敗したときに周囲はどんな携わり方をするのかなどを、そこで働いている人に具体例を聞かせてもらってはどうかな。よりリアルにその企業で働くイメージがわいてくると思うよ。

企業は君が活躍できると判断して内定を出している

野島　不安に思う点について聞いてみて、「やっぱり、この企業では努力できない、頑張れそうにない」と君が感じたなら、正直にその気持ちを採用担当者に伝えたうえで、思い切って就活をやり直すべきだと僕は思う。

でもね、内定先の企業は、君が自社に合う人材で、そこで活躍できるだろうと判断したから、内定を出しているはずなんだ。それでも、君自身がどうしても不安を払拭しきれないのなら、それは仕方がないことなんだけど。

僕が尊敬する経営者の一人で、京セラや第二電電（現ＫＤＤＩ）などを創業し、日本航空を再建した稲盛和夫さんという方がいてね。稲盛さんは「楽観的に構想し、悲観的に計画し、楽観的に実行する」と、よくおっしゃっていたんだ。事業の構想を練るときは「これはできる」と楽観的に考えるんだけど、楽観的に構想しただけではうまくいかない。それを計画に移していくときは、うんと悲観的な目で綿密に考えると。こうして不安要因を徹底的につぶしたら、最後はまた楽観的に「きっとできるはずだ」という気持ちで実行していくと、事業がうまく進むそうだ。

今の君は、「悲観的に計画する」段階だと思うんだ。納得できるまで内定先の企業にあれこれ聞いてみれば、不安が解消したり、小さくなったりして、前に進む勇気が出るかもしれないよ。

そして「ここでやるんだ」と覚悟が決まったのなら、その企業で成長するための努力を続けていってほしいな。正しい方向に向かってこつこつと努力を続けていけば、「この仕事をしていてよかった」と心から思える日がきっと来ると思うよ。

COLUMN

野島流 幸せに生きるヒント

不安を乗り越えた先に成長がある

就活では初めての体験も多く、不安に感じる場面も多いことでしょう。

不安は人間の最も根源的な感情の一つと言われており、危険が近づいていることを示すアラームのような役割を果たします。迫りくる危険を察知して、「逃げるか闘うか」を瞬時に判断し、心身の両面でその準備をするのです。不安というアラームが鳴ると、脳内ではアドレナリンが放出され、呼吸数が増え、心拍数や血圧が上昇し、筋肉が緊張します。こうした反応が生じることで、酸素が素早く体に取り込まれ、より多くの血液が全身を巡り、何かあったときにすぐに動ける状態になります。つまり危険から逃れることができるわけです。ストレス反応が「心理面の変化」となって現れるものが不安であり、自己防衛に必要な機能でもあります。

ただし、強い不安があまり長く続くと、心身にマイナスの影響を及ぼし、かえって適切な対応がとれなくなります。そこで重要なのが、不安を長引かせず、思い切って次の行動を選択することです。２０１７年に、僕はこんなことを経験しました。

ノジマが買収した携帯電話の大手販売代理店会社ＩＴＸが、当時、業績不振にあえいでいました。そこで周囲から「ＩＴＸを立て直すために野島さんに社長をやってほしい」と求められたのですが、このとき僕は、ビジネス人生最大と言っていいほどの恐怖と不安を感じました。僕はそれまでノジマ以外で働いたこともなかったし、よその企業を立て直した経験もありませんでした。怖くて逃げ出したい気持ちでいっぱいになり、眠れない夜が続きました。過剰なストレスによって免疫力が低下し、ついには帯状疱疹《たいじょうほうしん》という激痛を伴う皮膚疾患まで発症してしまいます。

しかし、逃げ出すわけにはいきません。「しょうがない。やってみよう」と、半ばあきらめ気味に腹をくくったのです。すると不思議なことに、その夜からぐっすりと眠れるようになりました。そして帯状疱疹もみるみる消えていき、2週間後に社長に就任したときは、嘘のように恐怖や不安が消え去っていました。

今思えば、「しょうがない。やってみよう」と決断し、次の行動を始めたこと自体が、恐怖と不安を乗り越える一番の方法だったのです。結果的に、ITXの経営立て直しはうまくいき、僕自身も経営者として一回り大きく成長できました。今では、あのときITXの社長を任せてもらって、本当によかったと思っています。

不安は自分を守るために必要なものです。しかし、それは、次の行動を決めるために起こる感情であって、いつまでも長引かせるものではありません。今、不安な気持ちを抱えて立ち止まっている君に伝えたいのは、その不安は、乗り越えるためにあるということです。思い切って次の行動を始めてみれば、不安を乗り越え、その先の成長もきっと手に入れることができるでしょう。

学生の質問

Q15

就職後に
職場の先輩や上司と
うまくやっていけるか
不安です。

（R・Oさん）

現役経営者の答え

A15 先輩や上司とできるだけ接点を持つ努力をしてみよう。

コミュニケーションなくして仕事はできない

野島 就職後に職場の先輩や上司とうまくやっていけるか不安ということだけど、何か理由があるのかな？

R・Oさん 高校時代・大学時代とも陸上部の活動に忙しく、アルバイトをしたことがありません。先輩や上司から嫌われて、仕事がうまくいかなかったらどうしようと今から心配で……。

野島　アルバイトをする時間もないほど、陸上に打ち込んでいたのなら、君は努力をする習慣が身に付いているはず。就職してからも仕事を覚えようと懸命に努力するだろうし、きっとうまくやっていけると僕は思うな。

R・Oさん　こつこつ努力することはできると思うんですが、人間関係で失敗してしまうと、仕事もうまくいかないのでは、と気になっています。

野島　それは確かにその通りだね。人とのコミュニケーションなくして仕事はできないので、職場で良い人間関係を築くことは大切だよ。

職場における二つのコミュニケーション

野島　職場で交わされるコミュニケーションには2種類あると僕は考えているんだ。一つは僕が「業務推進コミュニケーション」と呼んでいるもので、仕事を進めていくうえで交わされる情報伝達や意思疎通のためのコミュニケーションのこと。もう一つは「人間関係構築コミュニケーション」と呼んでいるもので、組織内の人間関係を円滑にするために行われるコミュニケーションのこと。例えば出退勤時に交わす挨拶や、お昼休みに仕事上の悩みを打ち明けたり、家族や趣味などのプライベートのことを話したりすることが該当する。

人間関係構築コミュニケーションは、一見仕事とはあまり関係ないように思うかもしれないけど、実際はこのコミュニケーションが活発な組織ほど、人と人の心の距離が近くて、さまざまな情報が正しく早く伝わり、その結果、業務推進コミュニケーションもうまく回るという関係があるんだ。

仕事を離れ、リラックスして本音が話せる関係をつくろう

野島　先輩や上司とうまくやっていくためのアドバイスとしては、少し古臭いやり

方だと思われるかもしれないけど、まずは人間関係構築コミュニケーションを図るために、仕事以外の時間で先輩や上司と積極的に接点を持ち、仲良くなる努力をすることかな。

仕事が終わってから一杯飲みに行くのもいいし、休みの日にハイキングやスキーに行くのもいいと思う。君の場合は、朝のジョギングを一緒にやるのもいいかもしれないね。

R・Oさん　なぜ、仕事以外の時間で接点を持つのがよいのでしょうか?

野島　当たり前だけど、仕事中は業務推進コミュニケーションが中心となるよね。特に入社したての頃は、自分の仕事ぶりについて周囲から注意や指摘をされる場面が多く、萎縮してしまいがちなんだ。そのため失敗できない気持ちが強くなり、新入社員にとっては自然なコミュニケーションがとりにくい。

でも、業務時間外であれば、仕事を離れているからこそ、リラックスしていろいろ話せて、先輩や上司との距離が縮まりやすいんだ。そうした機会に接点がつくれたら、だんだん打ち解けて、仕事中でもきちんと話ができるようになることが多いんだよ。

R・Oさん　私のように、入社後の人間関係が心配な人間は、どんな企業を選ぶとよいでしょうか?

野島　人材の育成に力を入れていて、早期離職率の低い企業を選べば、入社後もきっとうまくやっていけるんじゃないかな。

ノジマのリアル

ノジマで人が育つ五つの理由

もし外部の人に「ノジマの自慢できることを一つだけ挙げてください」と言われたら、僕は間違いなく「人材育成力」を挙げます。なかでも、人を育てるスピードは、どこにも負けない自信があります。

人材育成については、制度面でさまざまな工夫をしていますが、より重要なのは制度の背景にある「人に対する考え方」です。ノジマで人が育つ理由という切り口で、ノジマの人材育成の考え方を紹介しましょう。

◆教育ではなく、育成する

ノジマでは、人を「教育する」のではなく、「育成する」と言います。

これは僕流の定義ですが、教育とは教える側が知っていることを伝えることによって、教わる側が自分で覚えてできるようになることです。教育は、「教えること」にウェイトがあるため、教わる側が誰であれ、教える内容や方法は一様です。

一方、育成には「立派に育ててあげる」という意味があり、人を育てて成果を上げることにその主眼があります。したがって、教える内容や方法も人によってそれぞれ違ってきます。仮に人が育っていなければ、それは育成される側ではなく、育成する側の問題ととらえ、関わり方や育成環境を改善していきます。

ノジマでは育成の考え方を大切にし、メンターや店長が責任を持って新入社員を細やかにケアし、立派に育ててあげていく体制を整えています。

◆仕事の目的がシンプルである

ノジマは販売会社ですが、売上や利益のためではなく、カスタマーディライト（顧客の歓喜・感動）のために皆が仕事をしています。

だから、利益率は高いけれども、お客様のニーズに合わない商品を売りつけたり、メーカーのキャンペーンに合わせて特定商品ばかりをご案内したりする必要はありません。

目の前のお客様にとって本当の意味でベストな選択を、コンサルティングしながらお手伝いしていく。その結果、お客様に買っていただけ、売上や利益がついてくる。このようにシンプルな目的に向かってまっとうなプロセスで仕事を進めるため、ノジマではお客様の喜びに触れる機会が多く、仕事のやりがいや手応えも感じやすいのです。これは人材育成上プラスに働いている要因の一つと言えるでしょう。

◆自分で考える力を育む

ノジマでは、「自分で考える力」を育むことを重視しています。よって、チェーン展開している多くの企業にあるような接客マニュアルに相当するものはありません。新入社員研修でも、ノジマのコンサルティングセールスの考え方を学んだら、あとはロールプレイングを通じて接客の進め方を自ら作り上げていきます。

マニュアルが整備されている企業のほうが、すぐに仕事が覚えられて人が育ちやすいのでは？と、思うかもしれません。でも、それでは、これからの時代に必要となる「自分で考える力」が育たず、長期的に見ると人材育成にはむしろマイナスに働きます。長いビジネス人生では、君の仕事の内容や環境が劇的に変化することが何度かあるでしょう。そのとき「マニュアルがないから、どうしたらいいか分かりません」とは言っていられないのです。反対に、変化をすばやく察知し、次にどうすべきかを自分で考えられれば、環境がどうなろうと恐れることはありません。自らの力で、より新しい道を切り拓いていけばいいのですから。

◆自主目標はあっても、ノルマは課さない

営業や販売の仕事が主体の企業では、経営陣が決めた売上目標や利益目標を達成するために、各事業部に売上予算を割り当て、それが個人の売上予算(という名のノルマ)として下りてくることが多いものです。

しかし従業員の自主性を尊重するノジマでは、経営陣から下りてくるノルマは存在しません。その代わりに、自ら目標を設定し、それに向けて行動していきます。

ではなぜ目標を設定するかというと、目標があったほうが人は成長できるからです。明確な目標を持ち、達成しようと努力する過程でさまざまな知恵が生まれ、人は成長できます。上から押し付けられたノルマではなく、自ら設定した目標だからこそ、そこに達成への責任感が生まれ、成長していけるのだと僕は信じています。

◆出る杭は徹底的に伸ばす

日本では「出る杭は打たれる」という諺がありますが、ノジマでは「出る杭は伸ばす」という考え方のもと、人材育成を進めています。

例えば、新入社員はもちろんのこと、パートやアルバイトでも、仕事上でやりたいことがあれば誰でも提案できるのです。お客様に喜んでいただくことを第一に考えて「こうしたほうがいいと思う」「これがやりたい」などのアイデアがある人は、「決裁書」という書類でそのアイデアを提案し、必要な経費を獲得して、実行してもらっています。そのように提案されたアイデアのなかで、特にカスタマーディライトに大きく貢献したものは、ノジマ全体で共有され、会社の仕組みとして取り入れられていきます。新入社員の時期から、仕事の面白さや、やりがいを感じられるこうした仕組みがあるのも、ノジマで人が早く育つ理由の一つでしょう。

学生の質問

Q16

風通しの良い企業に就職したいと思っています。そうした企業を学生が見極めるには、どんな質問や観察が有効でしょうか？

（C・Mさん）

現役経営者の答え
A16

年齢や役職に関係なく、皆が生き生きと仕事をしていることが重要。従業員同士の会話の様子や呼び方に着目してみよう。

「風通しの良くない企業は若い人たちに活気がない」

野島　風通しが良いというのは、例えばどういう状態をイメージしているの？

C・Mさん　立場に関係なく自分の意見を率直に言える状態をイメージしています。

野島　そういうことであれば、年齢や役職の上下に関係なく、皆が生き生きと働いているかどうかを見極めるのがいいだろう。

風通しの良くない会社だと、役職や年齢が上のほうの人たちが威張って、部下に高圧的な関わり方をするので、特に若い人に活気がなかったりするものなんだ。

C・Mさん　どんなところに着目すれば、その企業が風通しが良いかどうかが分かりますか？

野島　就活生の君が観察可能な範囲で言うと、例えば、会社説明会へ参加したときに、従業員同士が話している様子をよく観察してみるのがいいだろう。風通しの良い企業では、ごく自然に立ち話が交わされていたり、従業員同士の会話の中に自然な笑顔が見られたりするものなんだ。

C・Mさん　風通しの良さを確かめるのに有効なのは、どんな質問でしょうか？

野島　まず、自社は風通しが良いと思うかどうかをそこで働いている人に聞いてみて、風通しが良いという答えが返ってきたら、実際にどんな取り組みをしているのかを聞いてみるといいんじゃないかな。

ちなみに、ノジマでは役職名では呼ばずに、パートやアルバイトの方、新入社員から社長にいたるまで、お互いを「さんづけ」で呼んでいるんだ。役職名で呼ぶと、上下関係を意識してしまって、若い人や役職がない人は自由に意見が言いにくくなるからね。

そうした雰囲気をなくすために「さんづけ」で呼ぶようにしたんだ。うちの社内では、みんな僕のことを「野島さん」と呼んでくれて、会ったときにはいろんな意見やアイデアを聞かせてくれるよ。

今の時代、上意下達では変化に対応できない

野島　実は風通しの良さは、オープンな組織であるために必要な条件なんだ。

変化の激しい今のような時代には、企業の上層部が決めた戦略や方針に従って、現場が粛々と仕事をするのではなく、お客様に近い現場の人間が自ら状況を判断し問題を解決して進んでいくことが欠かせない。従業員一人ひとりがこのような働き

方をするには、企業内の情報が誰に対してもできるだけオープンになっていなければならないんだ。

ただし、仕事や組織に関する情報がシステム的にどれだけオープンになっていても、そこでやりとりされる情報が歪んでいたり、一部が意図的に隠されたりしていたらどうだろうか。その情報を参照した人は、誤った判断をしてしまうかもしれないよね。

そこで大切になるのが、風通しの良さなんだ。自分の同僚や上司の評価にマイナスに働くかもしれない悪い情報でも、隠したりせず共有できてこそ、本当の意味でオープンな組織となれるんだよ。

うちの会社では、上司が書いた正直な日報を、新入社員でも見られるようになっているんだ。

また、新入社員が書いた日報に対して、上司が返信するんだけど、そのやりとりを他の人も見ることができるようになっている。

ここまでオープンになっていることに最初は驚く人も多いんだけど、それが当たり前となっているからこそ、ノジマはさまざまな従業員の意見を取り入れながら、日々組織として進化ができていると僕は考えているんだ。

---- CATEGORY ----
勤務環境

学生の質問

Q17

長く仕事を続けるうえで働きやすい企業を見極めるには、どんなところに着目すればよいでしょうか?

（H·Yさん）

現役経営者の答え

A17

①人間関係が良いこと、②努力が認められる職場であること。この2点に着目してみよう。

努力が認められればモチベーションを維持できる

野島　君の若さで「長く仕事をしたい」と言えるのは、人生100年時代を踏まえて、働き続ける覚悟があるということだし、何より自分の人生についてよく考えている証拠だと僕は思うよ。素晴らしい。

働きやすい企業かどうかを見極めるポイントを、ということだけど、まず君自身はどういうことが大事だと考えているのか聞かせてくれるかな？

H・Yさん　長く働き続けるなら、やはり人間関係の良さは大事だと思います。

野島　人間関係が良いことは、働きやすさを左右する一つの要因であることは間違いないね。そこは僕も同じ考えだな。

人間関係が良いことのほかに、実はもう一つ大事な要因があるんだ。これがない職場では、一生懸命働くモチベーションを維持するのが難しいと僕は思う。君は何だと思う？

H・Yさん　十分な額の給料でしょうか？

野島　給料にも関係するけど、ちょっと違うんだ。

僕流の表現で言えば、「努力が認められる職場であること」。どれだけ仕事で努力をしようが、逆にさぼろうが、お給料や役職が年功序列でしか上がらないとしたら、どうだろう。君は仕事を頑張るかな？

H・Yさん　たぶん、それほど頑張らないと思います。

野島　従業員が、仕事に対して一生懸命取り組んでいない企業は、お客様やマーケットから支持されなくなり、売上や利益は徐々に減っていくんだ。そうなると、その企業の存続自体が危うくなり、長く働くという君の目的自体が果たせなくなる。
従業員一人ひとりに努力と成長を促し、それが昇進・昇給という形で正しく反映される職場であれば、仕事にやりがいが持てるよね。長いビジネス人生のなかでは、大きな困難に直面することが何度かあるんだけど、仕事にやりがいがあれば、そうした困難も乗り越え、仕事を続けていくことができると僕は思う。

若くても抜擢され、高齢でも生き生きと働いているか？

H・Yさん　努力が認められる職場かどうかは、企業の何を見れば分かりますか？

野島　それは若くても抜擢されている人がたくさんいるかどうかで、判断できるよ。
「うちは実力主義です」「若くても活躍できます」と言っていても、実際は年功序列に近い人事運用をしている企業は、意外と多いものなんだ。逆にきちんと努力と実力が認められる職場なら、若くて優秀な人がどんどん上の役職に上がっていくはずだからね。

上場企業であれば、有価証券報告書に記載されている「役員の状況」を見ることで、その実態をつかむことができるよ。その企業で取締役になっている人の生年月日の情報があるから、そこから各役員の年齢を割り出してみるとよいだろう。

H・Yさん　人間関係が良いかどうかは、どういう点を見れば分かりますか?

野島　これは、年齢を重ねた人たちが、生き生きと一生懸命働いているかどうかを見るのがいいんじゃないかな。

職場の人間関係が悪いと、人は最低限の仕事しかやらなくなるものなんだ。特に年齢を重ねた人たちは、仕事で心身の負担を感じることが多いから、その傾向が顕著なんだよ。逆に、高齢なのに一生懸命仕事をしている人がいれば、それは同僚や上司との関係が良く、彼らのために役立ちたいと思っているからだと言える。

世の中では60歳や65歳を定年としている企業がほとんどだけど、高齢の方ができるだけその企業で長く働きたいと希望し、その希望をかなえている企業は、定年制度にとらわれず柔軟に対応しているものなんだ。「御社の現役従業員で、最高齢の方は何歳ですか?」という質問をぶつけてみるのも、その企業の実態を把握をするには、いいかもしれないね。

ノジマのリアル

意欲に年齢の制限なし

ノジマでは、年齢による雇用の制限はありません。働きたいと思う人は、65歳の定年が過ぎても働き続けることができるし、働く意欲がある人は年齢に関係なく新規採用も行っています。本人が働きたいと思っているのであれば、僕は何歳までも働いてもらいたいとずっと思ってきました。

２０２０年7月、ノジマは定年後再雇用契約を80歳までとする就業規則を策定しました。それまでも、実際は65歳を超えた人がたくさん働いていましたが、それは規則には載っていなかったのです。

規則をつくったきっかけの一つは、同年の社内報に掲載された、店舗で働くシニアの座談会です。シニアの方々が生き生きと働く様子は、社内でも話題になるほどでした。65歳を過ぎた方々が店頭に立ち、豊富な知識や経験を生かしてお客様のため、会社のため、若い仲間たちと共に働いていました。

「働くことで誇りを持つことができる。それが励みになっている」という人、「顔色が冴えない若手に声をかける」という人、それぞれの方がノジマで働くことに大きな喜びと働きがいを感じてくれていました。そうしたシニアの方々の熱意が、制度化に向けて、会社の背中を押したのです。

働く意欲のある人に働いてもらうのは、社内では既に当たり前のことでした。80歳という年齢も平均寿命などを考慮しただけで、驚くようなものではなかったのですが、21年4月の「改正高年齢者雇用安定法」(70歳までの就業機会確保を努力義務とする等)の施行もあり、メディアで大きく報じられ、ドイツやフランス、韓国といった海外メディアまで取材に訪れ、逆にこちらが驚かされました。

規則を策定した1年後、80歳を前にして働きたいという人が現れ、今では80歳を過ぎても働ける職場となっています。

シニアの雇用を考えるうえで、もう一つ僕の頭の中に残り続けていたのが、ノジマの社員1号として18歳で入社し、長年貢献してくれたI田さんの存在です。役員まで務め、定年退職したI田さんに、退職後3カ月ほどたった頃、新しい大きな店を出店するときに「ちょっとお店を手伝ってよ」とお願いしたことがあります。

若い頃は店頭に立つのが好きだったI田さんですが、役職が上がるにつれてその機会は減っていました。定年してホッとしていたI田さんにとって、僕のお願いはあまり気が進まないものだったかもしれません。最初はちょっと腰が引けているようでしたが、店頭に立って数日後、I田さんはしみじみと僕にこう言いました。

「ヒロちゃん、お店に立って仕事をすることほど楽しいことはないね。働くって本当に楽しい。給料はいくらでもいいから、これからもお店に立たせてよ」

Ｉ田さんはその後10年近く、75歳まで店頭に立ち続けました。「この店長はあまり良くないぞ」「本部のＭＤがこんなことを言ってるよ」と、経験豊かなＩ田さんならではの指摘やアドバイスもたくさんもらいました。

こうしたＩ田さんの存在が、「働く年齢に上限はない」「いくつになっても働く意思のある人は働いていい」と僕に言わせ続けていたのだと思います。

---- CATEGORY ----
勤務環境

学生の質問
Q18

タイパよく働きたいと考えています。企業の何に注目するのがおすすめですか?

（O·Hさん）

現役経営者の答え

A18

若くても出世できるかどうか。平均年齢や平均年収のバランスにも着目してみよう。

役員の年齢を調べてみる

野島　一番タイムパフォーマンス（タイパ）がいいのは、闇バイトかもしれない。でも、それでは君の人生を棒に振ることになるから、おすすめはしないけどね。

O・Hさん　まっとうな働き方をする前提で、タイパよく働きたいんですが。

野島　タイパよく働くというのが、時間当たりの成果、つまり時間当たりの給料をできるだけ高くしたいという意味なら、僕のおすすめは、努力の結果が認められる企業で出世することだな。そうすれば、間違いなく時間当たりの給料は高くなるからね。君の期待している答えではないかもしれないけれど。

O・Hさん　それだと、だいぶ時間がかかりそうです。

野島　若い頃からタイパよく働きたければ、若くても活躍している人が多い企業を就職先に選ぶのがいいと思う。若い役員がいる企業なら、努力すれば自分もそういう働き方ができるチャンスがあるからね。逆に、役員の年齢が皆60歳近いのなら、年功序列型の人事運用がされていると推測でき、若いうちから高い給料をもらえる可能性は低いだろう。ちなみに、どんな情報をもとに、そんな企業を探しているの？

O・Hさん　年間休日数や初任給の情報はチェックしています。

野島　もしどれだけ休めるかが君にとって大事なら、有給休暇の取得率も併せて確認したほうがいいよ。休日数がそれなりにあっても実態として休暇が取りにくければ、休めるとは言いづらいからね。それから初任給は、社会人のスタート地点の情報としては参考になるけど、実際は、その後どういう角度で給料が上がっていくかが大事だよ。ずっと初任給のままで働くわけではないから。

O・Hさん　となると、平均年収を見ればいいですか？

野島　それだけだと、早い時期からタイパよく働きたい人にとって大事な情報を見落としてしまうかもしれない。平均年収と平均年齢の両方を見て、決めるのがいいんじゃないかな。

成長している企業ほど若手を積極採用

O・Hさん　なぜ平均年収と平均年齢の両方を見たほうがいいのでしょうか？

野島　実は企業の平均年齢というのは、直近10年間で新たに採用した人数が全体でどれくらいの割合を占めているかで変わってくるんだ。

売上や利益が伸びていなくて、若い人を積極的に採用できていない企業では、平均年齢がどんどん上がっていってしまうものだ。年齢が上のほうの人たちは、子どもの進学や親の介護などで基本的に生活にお金がかかるため、給料を下げるわけにはいかない。そのため、そういう企業では、若い人の給料を低く設定してバランスをとるしかなく、若い人にとってはタイパが悪くなってしまうんだ。

O・Hさん　若い人から見ても比較的タイパがいいと言えるのは、どういう平均年齢と平均年収のバランスですか？

野島　平均年齢30歳くらいで平均年収４８０万円くらいであれば、まあまあタイパがいいほうと言えるんじゃないかな。これ、実はうちの会社のことなんだけど(笑)。ノジマは、僕が社長に就任して以来、30年間ずっと平均給与を上げ続けてきたんだ。

効率よく仕事を進める方法を身に付けることも大事

O・Hさん　なぜそんなことができるのですか？

野島　一番大きな理由としては、他社と比較して生産性が高いことだろうね。

生産性は、売上総利益（粗利）を従業員数で割ることで求めることができる。言い換えると、一人当たりの粗利になるね。この数値が高くて、なおかつ経費が低く抑えられていれば、その差分が従業員の給料として分配できる余力となるんだ。僕はこの数値を見てきたから、給料を上げ続けることができた。２０２２年に物価が急に上がったときも、いち早く物価上昇手当を出し、その後ベースアップも実施したんだ。業績に関係なくこれが決断できたのは、そもそも分配できる余力があるからなんだ。

ちなみに、どうして君はタイパよく働きたいの？

Ｏ・Ｈさん　働く時間を短くして、好きなことに使える時間を確保したいんです。

野島　ということは、残業は極力減らしたいということだね。それなら、就業時間内で仕事を終わらせられるよう、効率よく仕事を進めるスキルを早い時期から身に付けるのがいいだろう。就活で君に合った企業に出会い、仕事もプライベートも充実した人生を送れるといいね。

---- CATEGORY ----
勤務環境

学生の質問
Q19

土日が休みでない働き方は不安です。

（Y·Nさん）

現役経営者の答え

A19

土日が休みでない働き方は、実はメリットが多かった。

「土日休みでないおかげでお金がなくても楽しめた」

野島　僕は、小売業ということもあって、土日が休みではない働き方をずっとしてきてね。その経験から言えるのは、この働き方は僕にとってはすごくよかったということ。特に家族を持ってからは、それを感じることが多かったよ。

僕は社会人になって3年ほどたった頃に結婚したんだけど、当時は会社の経営状態が不安定だったので、給料もまだそれほどもらえなかった。だけど、平日休みだったから、あまりお金をかけずにいろいろ楽しむことができたんだ。

子どもが小さい頃は、水曜日の夜から泊まりがけでふらっと出かけたりしてね。平日だから道は渋滞していないし、宿泊先のホテルも空いていて安いしで、子どもが大きくなるまではずいぶんいろんなところへ家族で出かけたものだよ。

お盆休みに家族で旅行しようとすると、今なら一人当たり何十万円とかかったりするけど、時期をずらせば半額ぐらいで済むよね。海外旅行もハイシーズンなら年1回しか連れていけないところ、費用が安い時期に行くことで年2回は連れていけて、家族からも感謝されたんだ。僕は土日が休みでない働き方のおかげで、経済的にはすごく助かり、よかったと思っている。

Y・Nさん　休みが合わなくて、友人たちと疎遠になるのが心配で……。

野島　学生時代の友人は損得勘定抜きで話せる関係だから、君にとっては大切にしたい人たちだろう。真の友人なら、休みが違ったとしてもお互い時間を調整して会おうとするから、続いていくはずだよ。
僕自身は、入社して以降、仕事に没頭していたので、学生時代の友人たちとは疎遠になってしまったけれどね。

20代の苦労で30代以降の仕事が変わる

Y・Nさん　友達に会えなくて、寂しく感じませんでしたか？

野島　正直なところ、寂しいと感じている暇さえなかった。会社の存続自体が危うくて、日々必死に仕事をしていたからね。当時の僕は、ワーク・ライフ・バランスで言えば、ワーク9・5対ライフ0・5みたいな生き方をしていたよ。でも、結果的にそれが非常によかったんだ。

Y・Nさん　どういう点でよかったんですか？

野島　この時期に、商品の仕入れから売場づくり、マーケティング、接客販売、人材育成、マネジメント、物流、人事、労務、法務、システム導入、経理、はては資金を借り入れるための銀行対応まで、うちの会社の事業運営に欠かせないすべての仕事を体験できたからなんだ。

その後、会社の成長に合わせて、それぞれの仕事を人に任せていくことになるんだけど、一度自分で体験しているから、人に任せても適切にチェックできたし、問題が起これば、すぐに対応することができた。つまり、その後、会社のマネジメントで必要となる基本的なことを20代から30代ですべて学んでいたことになる。

昔から「苦労は買ってでもしろ」と言うけど、若い頃に苦労を経験するのが、実は一番効果が高いと僕は思うんだ。年齢を重ねてからではなく、20代・30代で最高の苦労をさせてもらったおかげで、今の僕があると思ってる。

Y・Nさん　同じ苦労なら、30代よりも20代でしたほうがいいのでしょうか？

野島　間違いなくそうだろうね。体力的にも気力的にも20代のほうが充実しているから、相当ハードなことがあってもなんとか乗り越えられるものなんだ。

20代のうちに仕事でどれだけ高い壁を乗り越えてきたかで、30代・40代・50代での仕事の広がり方や伸び方が大きく変わってくると思うよ。

仕事を通じて得た新たな友人が人生を豊かにしてくれる

野島　僕は20代は仕事に没頭していたので、学生時代の友人たちとはほとんど付き合いがなくなってしまったけれど、その代わりに仕事のつながりで大切な友人関係を得たんだ。

Y・Nさん　仕事関係の人とプライベートで会うのは、疲れませんか?

野島　そうでもないよ。僕の場合、今付き合っている人たちは社会的地位が高い大手企業の社長や幹部の人が多いんだけど、そういう方々と休日にゴルフを楽しんで、美味しい食事をいただきながら、世界の経済や企業経営、ときには人生について語り合う時間はとても豊かで楽しいんだ。

お互い関心を持っていることが近いので、その人たちから教えてもらえる情報は常に刺激があって面白いし、ビジネス上のヒントになることも多い。もちろん僕からも相手が興味を持ちそうな話題を提供するので、自然と会話は盛り上がるしね。

君が社会に出て、仕事を通じて成長していけば、また新しいグループの友人と出会うことになるだろう。そういう人たちとも親交を深めていくことで、君の人生は今以上に豊かで楽しいものになるんじゃないかな。

学生の質問

Q20

社会人になったら
仕事を通じて
成長していきたいです。
何を心掛ければ
よいでしょうか?

(W・Aさん)

現役経営者の答え

A20

苦しいときこそ成長の機会ととらえ、努力することを心掛けよう。

「できなかったことをできるようにするため、力を尽くす」

野島　仕事を通じて成長していきたいという考えが、とてもいい。就職前からそう考えられるなら、きっと企業のなかでもすぐに頭角を現して、お客様や社内の人から喜ばれ、その仕事ぶりで社会にも大きく貢献できるようになるだろう。

仕事を通じて成長していきたいなら、一番大事なのは、努力をすることだよ。

W・Aさん　仕事上で努力するとは、例えばどんなことでしょうか？

野島　今までできなかったことができるようになるために、力を尽くすことだ。そしてできなかったことができるようになるためには、あることに耐えなければならない。スポーツ選手は、強くなるために日々どんな練習をしていると思う？

W・Aさん　厳しい練習をしています。

野島　その通り。楽な練習を毎日繰り返して、日本一や世界一になれたスポーツ選手はいないよね。彼らは常に「ちょっとしんどいな」「これは難しいぞ」というレベルの負荷（ストレス）を自分にかけて、それに耐えることで、筋肉をつけたり、速く走れるようになったり、より正確に打てるようになったりしていくんだ。

仕事でも同じことが言える。例えば、配属された部署の議事録作成を君が担当することになったとしよう。最初は、四苦八苦しながら一つの議事録を2時間かけてまとめたとしよう。この仕事ぶりを時間と成果で見ると「時間は長く、成果は小さい」状態。では、次のレベルに上がるために、君ならどうする？

W・Aさん　もう少し短い時間で書けるようにします。

野島　うん、いい考えだね。

目標設定・努力・達成のサイクルを自律的に回す

野島　もう少し短い時間で書けるように努力するときに、できるだけ具体的な目標を設定するといいんだ。例えば「最初は2時間かかったから、せめて1時間で書けるようにしよう」といった具合にね。

それで1時間もかからずにまとめられるようになったら、今度は質を上げる努力をするんだ。議事録であれば、読む人が理解しやすいように、まとめ方を工夫するということだね。その次に、短縮できた時間を使って、もう一つの議事録を作成する。このように時間の短縮と成果の向上を交互に進めていくことで、最終的に、短い時間で大きな成果を上げられることを目指していくんだ。

自分で明確な目標を設定して仕事を進めていけば、その目標がクリアできたときに脳からドーパミンという物質が分泌されて、強い快感を得ることができる。これが仕事における達成感なんだ。ドーパミンが放出されて快感を得ると、脳がそれを学習して、再びその行動をしたくなるんだよ。

目標設定→努力→達成→次の目標設定というサイクルを自分で回せるようになれば、誰かに命令されなくても自律的に仕事に取り組むことができ、仕事が楽しくなって、どんどん成長できるようになるよ。

大きな壁にぶつかったときは、新しいやり方を学ぶ時期

W・Aさん　仕事で壁にぶつかったときは、どうすればいいんでしょうか？

野島　僕の経験から言えば、これも努力して乗り越えていくしかないんだ。ただ、ぶつかったのがとても越えられそうにない大きな壁だと感じたら、それは今までのや

り方を捨てて、新しいやり方を学ぶ時期だと考えたほうがいいだろうね。

そういうときは、自分の至らなさに気づいて、傷ついたり苦しい思いをしたりするかもしれない。でも、今の自分を見つめて、また前に進む努力をやめさえしなければ、必ず乗り越えられるものなんだ。

夜眠れないほど悩んでも突破口が見つからないときは、僕はよく本を読む。歴史小説や経済小説で主人公が苦境に立ち向かう話を読んでいるうちに、今の自分の状況とリンクして、手放すべきものや新たに学ぶべきものが見えてきたりするんだ。

僕には本しかなかったけど、君には先輩や上司がいるはずだから、苦しいときをどう乗り越えたのか、周囲の人に聞いてみるのもいいかもしれない。

苦しいときは、実は大きく成長できるチャンスなんだ。むしろ、苦しいときのみ人は成長できると言ってもいいかもしれない。だから、苦しいときを楽しめるようになれば、君の成長はさらに加速して、幸せになれる確率が高くなると僕は思うよ。

作業と仕事

「作業」と「仕事」という言葉を聞くと、それぞれに対してどんなニュアンスを感じるでしょうか？

こんなシーンを想像してみてください。あるお店の店長がアルバイトのAさんに対して、「事務所の作業テーブルが散らかっているから、片付けておいて」と指示を出しました。すると、Aさんは、作業に使ったカタログ類や、ハサミ・ペン・付箋・テープなどのさまざまな文房具を元にあった場所にすべて戻しました。

アルバイトのBさんに同じ指示をしたところ、Bさんは「カタログ類はどの順番で並べておくと、分かりやすいだろうか?」「よく使う文房具は、どのように片付けておくと、もっと効率よく仕事ができるだろうか?」「そろそろ補充したほうがいい文房具はどれだろうか?」など、さまざまなことを考えながら片付けました。

散らかった作業テーブルを片付けたのは二人とも同じですが、Aさんがしたことは「作業」、Bさんがしたことは「仕事」だと僕は思います。

「作業」とは、指示や前例、あるいはマニュアルに従って、その通りに行うことです。それに対して「仕事」とは、やるべき作業を行いながらさらに良くしていく改善の視点があります。

作業を仕事に変えるには、頭を目いっぱい働かせる必要があります。だから仕事をすればするほど、人は成長できるというわけです。

社会人になったとき、「作業」ではなく「仕事」をすることを心掛ければ、君の成長スピードはぐっと高まるでしょう。

---- CATEGORY ----
キャリア形成

学生の質問

Q21

若くして成果を出したいと
思っています。
活躍者の共通点は
ありますか?

（M･Iさん）

現役経営者の答え

A21

仕事が好きなこと。仕事が好きな人は努力ができるので、おのずと活躍するようになる。

「好きこそものの上手なれ」

野島　若くして成果を出していきたいというその心意気、素晴らしいね！

僕が見てきた経験から言うと、活躍者の一番の共通点は、仕事が好きなこと。「好きこそものの上手なれ」とはよく言ったもので、仕事が好きな人は、壁にぶつかってもなんとか乗り越えようと努力をするので、どんどんできることが増えていくんだ。

入社時点で才能や資質の面で多少、他の人と差があったとしても、それは微々たるもので、努力によってその差はすぐに埋まっていく。
仕事が好きなこと、それによって努力ができることは、それほどビジネスパーソンとして大きなアドバンテージとなるんだ。

与えられた機会はまず引き受け、好きになるよう努力する

M・Iさん そういう人は、部署や仕事内容が変わっても、仕事は好きなままなのでしょうか？

野島 うん、だいたいみんなそうだね。会社員として働いていると、スキルが上がって仕事内容や役割が変わったり、組織変更などの影響で異動になることがあるんだよ。そのときに、自分に与えられた仕事や役割を好きになって、そこで努力していけるかどうかが、活躍者とそうでない人の差だと僕は思うな。

もちろん「私はこれが好きだから、この仕事だけをずっとやっていたいんです！」という人もたまにいる。でもそれだと、その人はすごく狭い範囲の仕事しかできない職人さんになってしまって、会社が大きく変化して、その仕事自体がなくなったときに本人も会社も困ってしまうんだ。だから、スキルアップや新しい仕事への挑戦を打診されたら、えり好みをしすぎず、いったん受けて好きになれるよう努力してみるのが僕はいいと思う。

仕事のやり方が気に入らなければ自分で変える

M・Iさん　野島さんは、最初からすべての仕事が好きだったんですか？

野島　いや、そうでもない。実は、僕は販売の仕事があまり好きじゃなくてね。僕が入社したばかりの頃、うちは訪問販売が主体だったんだ。お客様の家に上がり込んで、カタログとか商品の実物を出して、説明して、買っていただくスタイルだった。父親も母親もそういう感じで熱心に販売をしていたけど、なんとなく押し売りっぽくて僕はあんまり好きじゃなかったんだ。

訪問販売は、どうしても持っていける商品が限られる。例えばテレビなら、せいぜい多くて2台。それを決め打ちで持っていってお客さんに選択を迫るのが僕はあんまり好きじゃなくて、「これを早く卒業したいな」と思っていた。それで、訪問販売ではなく、いろいろな商品を比較したり、体験したりしてもらえる店舗販売のスタイルに切り替えていったんだ。

だから、僕の場合、教えられた仕事のやり方が好きじゃなかったから、仕事のやり方そのものを大きく変えていったことになる。自分が納得できる店舗販売の形になってからは、販売の仕事も好きになってすごく努力したよ。

M・Iさん　販売の仕事を好きになって努力したことで、野島さんが得たものは何ですか?

野島　たくさんあるけど、一番は今ノジマで行っている販売方法の原点が生まれたことかな。

僕はオーディオが好きだったから、オーディオ機器で店舗販売を始めた。それで、やってみると、人によって好みが全然違うことが分かったんだ。クラシック好きな人、ジャズ好きな人、ポップス好きな人と、音楽のジャンルはもちろんのこと、聞こえ方の好みも全然違う。だから、お客様一人ひとりのお好みを伺って、それに合った商品をおすすめして販売していったんだ。今、ノジマが推進しているコンサルティングセールスという販売方法は、ここから生まれたんだよ。

あの当時、僕が販売の仕事を好きになる努力をしていなければ、今のノジマはもちろんないし、もしかしたら会社もつぶれていたかもしれないな。

学生の質問

Q22

希望した配属先にしか行きたくありません。

（G·Hさん）

現役経営者の答え

A22

希望の部署に行きたい理由と他部署に行きたくない理由を伝え、希望通りならどれだけ成長・貢献できるかを宣言してみよう。

［希望していない部署になぜ行きたくないのか？］

野島　自分の意思をはっきり持っているのはいいことだと僕は思うよ。君は、希望の部署以外に配属される可能性が高いの？

G・Hさん　高いと思います。マーケティング部を希望していますが、おそらく営業に配属されそうです。

野島　君が営業に行きたくない理由を聞かせてくれるかな？

G・Hさん　内定先の企業では、営業は、結果が出せないと先輩や上司から厳しく詰められると聞きました。そうした環境では能力を発揮できそうにないので、個人目標がないマーケティング部を希望しています。

野島　そういう理由だったんだね。マーケティングの仕事は、お客様のことをよく知らないとできないから、内定先企業が君をまず営業へ配属するのは、経営者としては理解できるけどなぁ。

それはともかくとして、今言っていたような営業へ行きたくない理由を、君はまずは採用担当や人事部にはっきり言うべきだと思う。それは、企業側にとっては組織改善を進める重要な情報となるし、君を受け入れる側の先輩や上司も、君の気持ちに配慮した携わり方ができるからね。

それでも営業部に配属されて、どうしても君が努力できないようなら、そこでやる気なくだらだら過ごすよりは、希望にそった部署でモチベーション高く働くほうが、君にとっても、会社にとっても、いいかもしれないね。

自分ができることを明言し、成果を上げると約束できるか?

野島　それでね、マーケティング部に対して、君がそれほど強い思いを持っているなら、そこへ行きたい理由をはっきり人事に伝えて、希望通りの配属になったら、どれだけ成長するのか、お客様や会社に対してどんな貢献ができるのかを考えて、それを自分から宣言してみるといいんじゃないかな。

G・Hさん　ちなみに、配属に関する希望は、どの企業でも聞き入れてもらえるものなのでしょうか?

野島　他社の人事についてはあまり詳しくないんだけど、ひょっとしたら聞き入れてくれる企業はあるかもしれないね。

ノジマのケースに限定して言えば、同じ職種であることが前提なんだけど、他店舗への異動希望が出されたら、基本的にすべて聞き入れるようにしているんだ。その際、「希望通りになったら、どれくらい努力して成果を上げられそう?」と聞いて、その通りの成果が上げられるよう責任を持って取り組むことを約束してもらう。そういう意思表示ができる人は、自分の考えを貫く努力家の側面があるから、たいていは当初の約束以上の成果を上げてくれるんだ。僕の経験上、裏切られたことは少ないな。

新入社員の場合も、最初の勤務地に関しては本人の希望をほぼ100%受け入れているんだ。なぜかというと、店舗でお客様に対応する仕事は、体力的にも精神的にもかなりのスタミナが必要なので、8時間勤務に慣れるまでは結構大変だからね。そのため、自宅から通いやすく、本人が希望する店舗へ配属するよう努めている。

G・Hさん　新入社員が本社系の仕事に就きたいと言えば、それもノジマでは聞き入れてもらえるんですか?

野島　いきなり本部の仕事というのは難しいね。ノジマでは、最初は販売職を経験してもらうことにしているので。

ただ、挑戦したい職種にチャレンジできるオーダーエントリー制度というのがあって、ある職種で人材が必要になったときに、社内公募が行われるんだ。それに応募して選ばれれば、違う職種へ変わることは可能だよ。もちろん、その職種に何人もの人が応募していたら、競争率は高くなるけどね。

配属希望に対する融通性は、企業や職種によってかなり幅があると思う。必ず聞き入れてもらえるかは分からないけど、内定先の企業に正直に自分の気持ちを伝えて相談してみるのが、いいんじゃないかな。

---- CATEGORY ----

キャリア形成

学生の質問

Q23

スキルを身に付けたいと思っています。今後はどんなスキルが求められるようになりますか？

（R・Mさん）

現役経営者の答え

A23

①コミュニケーションスキル ②気づきで仕組みを改善・改良するスキル ③DXのスキル

「人が生活し、社会をより良く進化させるための三つのスキル」

野島　今後求められるようになるスキルは、①コミュニケーションスキル、②気づきで仕組みを改善・改良するスキル、③DXのスキルの三つだと僕は考えているよ。ただし、これらはあくまで、プラスアルファのスキルだから、ビジネスパーソンとしてのベーシックスキルを十分高めたうえで、この三つを磨いていくのが望ましいと思うな。

R・Mさん　この三つのスキルが今後求められるようになるのはなぜですか？

野島　これらは、人が社会のなかで生活し、社会をより良いものにし、さらに進化させていくうえで欠かせないものだからなんだ。

一つめのコミュニケーションのスキルは、太古の昔に我々ホモ・サピエンスの祖先が獲得したものでね。コミュニケーションスキルを生かして互いに力を合わせることができたから、体格はネアンデルタール人より劣っていても、ホモ・サピエンスは生き残り、今も繁栄を続けているんだ。

僕たち人類がテレパシーで意思疎通をできるようにならない限り、コミュニケーションスキルの重要性は変わらないだろうね。

発明は気づきから始まる

野島　二つめの気づきで仕組みを改善・改良するスキルは、人類や社会の進歩を促すうえで欠かせないものだよ。

石器や土器など道具の発明とその改善・改良は、人類が食べ物を自らの手で生産することを可能にしたし、グーテンベルクの活版印刷技術は、情報と知識の大量流通を可能にし、多くの人間に思考の自由をもたらしたんだ。

そして、人類社会に大きなインパクトを与えたこれらの発明は、すべて、ある個人の内に起こった小さな気づきから始まっている。だから、君が仕事をしているときに「ここが不便だな」と気づいたら、それを改善・改良できる方法を考えて、会社に提案できるようになるといいと思う。小さなことでも仕組みを改善・改良する思考と習慣を身に付けておけば、自分自身の生産性はもちろんのこと、組織全体の生産性向上に貢献できるからね。

R・Mさん　三つめのＤＸのスキルは、ＩＴ系の仕事をしない人にも必要なのでしょうか?

野島　うん、僕は必要だと思う。

まず、僕が言っているＤＸのスキルというのは、プログラミング技術などの話ではなくて、仕事の仕組みをデータやデジタルテクノロジーを使ってより進化させることなんだ。これは二つめで挙げた気づきで仕組みを改善・改良するスキルと深く関連している。

例えば君が仕事をしていて「お客様にこの情報をいちいち手入力してもらうのは、間違いも多いし時間もかかって大変だな……」と感じたとしよう。そこで、「でも会社のシステムがこうなっているんだから、仕方ないな」と終わらせずに、もう一歩踏み込んで「これを自動入力できる方法があれば、入力する時間も、間違いをチェックする手間もなくなって、みんなに喜ばれそうだ。これを実現できる方法はないかな？」と考え、自ら案をつくって、社内の適切な部署に働きかけてみるんだ。これが、僕の考えるＤＸスキルが高い人のイメージだよ。

Ｒ・Ｍさん　システムとは関係ない部署の人間が、そんなことをやってもいいものなのでしょうか？

野島　少なくともノジマでは、全然ＯＫだよ。

実際、従業員６０００人が仕事で毎日タブレットを使用しているんだけど、そのなかに入っている業務用アプリは、現場から上がってくる意見をもとに、日々どんどん改善・改良されているんだ。

悩み・苦労を解決しようとする姿勢と熱量

Ｒ・Ｍさん　ＤＸを推進できる人材になるためには、何が大事でしょうか？

野島　お客様や従業員のことを日々考えて、彼らが抱えている悩みや苦労をなんとか解決しようと真剣に取り組むこと、かな。

うちの会社には、高いＤＸスキルを持つＩさんという女性がいてね。僕が彼女に対して「すごいな」と思うのは、先程言った、お客様や従業員のことを考えて、その悩み・苦労を解決しようとする姿勢とその熱量なんだ。

彼女は時々目ん玉が飛び出るほど大きな金額のシステム提案をしてくるんだけど、いつも「現場で日々こういう問題が起きています。でも、このデジタルテクノロジーを使えば、こんなふうに解決できます。結果的に仕事の生産性はこれくらい上がって、お客様にも喜ばれます」といった感じで、理路整然とシステム導入の理由と効果を説明してくる。

金額だけ聞くと「えっ!?」と驚くこともあるけど、実際に彼女の提案が形になって、システムの運用が始まると、現場の人々が抱えていたストレスが解消されて、ノジマのサービスレベルが上がっていくのが僕にも分かるほどなんだ。

プログラミングまではできなくてもいいんだけど、今のデジタルテクノロジーならどんなことができるのか、自社のビジネスに生かすとしたらどんな場面が有効かなど、そういった知識も、新聞やネットのビジネスニュースなどを読んで日々アップデートしておくと、君のＤＸスキルも磨かれていくんじゃないかな。

学生の質問

Q24

社会人になる準備として、
今のうちに
やっておいたほうが
いいことはありますか?

（Y・Fさん）

現役経営者の答え
A24

①自分を磨くために勉強する
②アメリカや東南アジアのビジネスを見ておく

［偉人の生涯を知ることが人間性を磨くのに役立つ］

野島　社会人になる準備として、学生のうちにしておいたほうがいいと僕が思うのは、自分を磨くために勉強することと、アメリカや東南アジアのビジネスを見ておくことの二つかな。

Y・Fさん　自分を磨くための勉強とは、例えばどんなことでしょうか？

野島　偉人の生涯が分かる本を読むこと。特に日本の歴史に大きな影響を与えた人物やビジネスで成功した人物の一生が分かる小説がおすすめだよ。

歴史上の人物の本を読むと、彼らが生きた時代背景を知識として自然と吸収できるうえ、それぞれの時代のなかで主人公が何を考えどう行動し、社会に影響を与えていったかが分かるんだ。大きな歴史の流れと、人としての生きざまの両方に触れることは、君の人間性を磨くうえで大いに役立つと思う。

Y・Fさん　どんな本がおすすめですか？

野島　戦国時代から江戸時代への流れを、山岡荘八の『織田信長』などでおさえた後、吉田松陰とその弟子の高杉晋作を描いた『世に棲む日日』（司馬遼太郎）で幕末の動乱期を、近代日本経済の父と言われる渋沢栄一を描いた『雄気堂々』（城山三郎）で明治期を知るのがいいんじゃないかな。どの本にも、時代が彼らに与えた試練と葛藤、それを乗り越えながらいかに己を磨いたかが活写されていて、ワクワクしながら読めると思う。

Y・Fさん　野島さんは、読書をするときにどんな工夫をしていますか？

野島　歴史小説を読むときは、まず自分が主人公になり切って読むようにしている。そうすると、主人公がそれぞれの場面でどんな気持ちを抱いているかが想像できるようになるんだ。

それから、主人公の気持ちに深く共感して、特に「素晴らしいな」と感じた行動については、本のページに線を引いて、タブレットのメモ帳アプリに書き写しておく。そして、時々そのメモを見返して、そこに書かれた行動が自分でもできるようになっていたら、消していくんだ。これがすごく気持ちいいんだ。

海外の動きから日本の過去と未来を俯瞰する

Y・Fさん　アメリカや東南アジアのビジネスを見ておくといいのは、なぜでしょうか？

野島　アメリカでは日本の未来を、東南アジアでは日本の過去をそれぞれ見ることができると僕は考えていてね。

広い国土に多様な人種が集まるアメリカでは、新しい産業、ビジネスが次々と生まれているよね。あれだけ多様な人々を一つの国家として、あるいは一つの企業としてまとめあげ、新しいものを生み出す力に変えられる仕組みと、その懐の深さを学んでおくことは、今後の日本を担う君たちにとって有用だと思うな。

また、かつての日本がそうだったように、現在の東南アジアの国々には高い経済成長を続ける国独特のエネルギーが満ちているんだ。そうした国々に学びながら、日本がまた活力を取り戻すにはどうしたらよいかを考えるのも、大きな視点からビジネスを考えるヒントになるんじゃないかな。

COLUMN

野島流 幸せに生きるヒント

自分磨きにおすすめの書籍

これまでのQ&Aで、何度か本を読むことをすすめてきました。そこで、自分磨きにおすすめの本をまとめて紹介します。

ここに挙げた書籍は、どれも人物描写が巧みでリアリティに富んでいるため、僕は物語にのめりこんで楽しく読み進めることができました。激動の時代の空気を胸いっぱいに感じながら、主人公と共に泣き、共に笑い、君が手本としたくなるような生き方を見つけるヒントになれば幸いです。

最後に1冊だけ、歴史小説ではなく、現代の企業家の評伝も入れています。桁違いに大きな志を掲げる彼の生きざまも刺激的で面白いですよ。

▼山岡荘八『織田信長』（講談社）全5巻

『織田信長』で心に強く残っているのは、桶狭間の戦いのシーンです。ここで信長は、評価基準をがらりと変えています。最も評価したのは、相手の総大将・今川義元の首を取った武将ではなく、義元が桶狭間で休息中であるという情報を上げてきた者と、戦いで先頭を切った者の二人でした。群雄割拠の時代にあって、変化を敏感に感じ取り、自ら変革を引き起こしていった信長の生涯からは、情報やアイデアの重要性を学べるでしょう。この『織田信長』を読んで面白いと感じた方は、『豊臣秀吉』（全8巻）、『徳川家康』（全26巻）など、その他の山岡荘八作品も読んでみるといいかもしれません。人間関係や物の見方が広がること、間違いなしです。

▼司馬遼太郎『世に棲む日日』(文藝春秋)全4巻

幕末の動乱期を、倒幕への主勢力となった長州藩の視点から描いた『世に棲む日日』では、前半は長州藩の若き思想家である吉田松陰が、後半は松陰の愛弟子である高杉晋作が主人公として描かれます。

欧米列強の圧倒的な軍事力から亡国の危機を感じ、日本を立て直すべく、その信念と行動で周囲に多大な影響を与えていく吉田松陰と、松陰の熱を受けて長州藩を尊王攘夷運動へと駆り立てていく疾風迅雷の志士、高杉晋作の生きざまはどちらも魅力的。高杉晋作の辞世の句「おもしろきこともなき世をおもしろく(すみなすものは心なりけり)」は、悲観的に見える世の中であっても、自分の考え方次第で面白く変えられるよというメッセージを含んでいて、僕はとても好きです。

▼城山三郎『雄気堂々』（新潮社）上下巻

明治以降の企業家も、高い志があり、彼らがその志を実現していくプロセスには多くの学びがあります。特におすすめなのは、城山三郎の『雄気堂々』。この作品の主人公は「近代日本資本主義の父」「実業の父」とも呼ばれる渋沢栄一です。若い頃は血気盛んな攘夷派だった栄一ですが、一橋家の知遇を得て取り立てられ、一転、幕府側の人間となり、やがて明治政府の官僚へ、さらに民間に下ってからは第一国立銀行・王子製紙・日本郵船・東京証券取引所など多種多様な企業の設立に参画し、日本経済の発展に貢献していきます。栄一の柔軟性と自由な発想力、そして行動力ももちろん注目に値しますが、経済人でありながら、私利を追わず公益を図る考え方を生涯にわたって貫き通したその姿勢は、「今だけ金だけ自分だけ」の思考が蔓延する今の時代こそ、学び直す価値があると僕は思います。

▼ウォルター・アイザックソン（著）・井口耕二（翻訳）『イーロン・マスク』（文藝春秋）上下巻

電気自動車メーカーのテスラや、宇宙開発企業のスペースXなど、先進的なテクノロジー企業の創業者として知られるイーロン・マスクの半生が描かれています。苛烈な生い立ちに胸が痛む場面もありますが、それ以上に僕が心をつかまれたのは、彼の大きな志です。電子決済サービスのペイパルを追い出された30歳のイーロンは、人類を複数惑星にまたがる文明にすることを人生の目標に掲げます。小惑星の衝突や核戦争などで地球環境が大きく変わり、人類が住めなくなってしまったときに、他の惑星でも生活できるようになっていれば、人類の文明と意識は生き残れるかもしれない。そう彼は考えたのです。まるで世界を救うスーパーヒーローのような壮大なミッションですが、それがあるからこそ、共に働く仲間を強烈に鼓舞し、不可能を可能にしていくことができるのかもしれません。

学生の質問

Q25

仕事をしていて
大変だったことは
ありますか？

（K・Gさん）

現役経営者の答え

A25

仕事を干されたときが一番大変だった。でもそれが大きく変われる機会になった。

［社内で仕事を干され、適当に時間をつぶして過ごした日々］

野島 大変だったことはたくさんあるけど、一番大変だったのは、やっぱり1991年からその翌年にかけて、社内で仕事を干されたときかな。

K・Gさん 仕事を干されたとは、どういう状況ですか？

野島 ちょっと話は長くなるんだけどね。

僕は、つぶれかけていた実家の家業を助けるために野島電気商会（ノジマの前身会社）へ入社し、それ以来、会社の立て直しと成長のために力を注いできた。

経営に対する考え方が違う母や弟とも折り合いをつけながらなんとかやっていたんだけど、91年に会社の組織改編が行われた際、突然、経営上の実権がほとんどない役職に追いやられたんだ。社長である母と常務である弟が、僕を追い落としたってわけ。驚いたことに、それまで僕と一緒に働いてきた古参の幹部社員までもがこの組織改編に賛成してね。

「僕がいなくても大丈夫なら、やってみろ」。そんな気持ちでいたため、この頃の僕は出社はしても会議に出ることもなく、適当に時間をつぶして過ごしていたんだ。

そうして1年ほどたったある日、古参社員二人が、経営の仕事へ復帰するよう僕を説得しに自宅までやってきた。僕が経営から離れている間に、既存店の売上が急激に落ちていたんだ。

その後、経営実権を取り戻してからは、会社の売上も上向きとなり、再び成長軌道に乗せることはできたけれど、この一件は、僕にとって非常に辛く大変な体験として深く記憶に刻まれたんだ。

逆境で得た気づきと「全員経営」の理念

K・Gさん　その体験によって、野島さん自身に何か変化はありましたか?

野島　大きな気づきがあったよ。

経営から外れていた頃は時間があったので、とにかく本を読んだ。特に逆境を乗り越えた人物の小説や伝記が多かったんだけど、それらを多読している間に、今、自分が陥っている状況は、結局自らが招いた結果であることに気づいたんだ。

それまでの僕は、「全員で経営しようよ」と口では言っていたものの、実際は、すべての従業員を自律的に考え行動する「経営者」とは見なしていなかったんだ。心のどこかで「何をどうするかは僕が考えて決めるから、みんなは僕の考えに従って動いてくればいい」、そんなふうに思っていたんだろうね。

それで、この一件を機に、真の意味での「全員経営」に取り組むことを決めたんだ。僕がいいと思うやり方を押し付けるのではなく、従業員にも自ら考えてもらい、ときには失敗しながら、共に学び、前に進む方向へと舵を切ったんだ。

大変なときこそ成長のチャンス

野島　30年前に大切なことに気づかせてもらえたおかげで、今ノジマでは、自分の意見を堂々と主張し、自由闊達に議論し、スピーディーに実行できる若き経営者たちが育ってきているんだ。

仕事をしていれば、どんな人でも大変なことが起こる。でも大変なときは「大きく変われるとき」でもあると思う。もし君に大変なときが訪れたら、自分が成長できるチャンスだととらえて、努力して乗り越えてほしいな。

学生の質問

Q26

仕事で意識していることはありますか?

（S・Kさん）

現役経営者の答え

A26

自分や組織にとっての損得の前に「道理に合っているかどうか」を考える。

損得を先に考えると道を誤る

野島　仕事で意識しているのは、絶対に損得を先に考えてはいけないということ。自分や組織の損得の前に「これが道理に合っているかどうか」を考えるようにしているよ。

S・Kさん　損得を先に考えると、どんなことが起こるのでしょうか？

野島　「こうすれば利益が上がる」「こっちのほうがもっと売上が増える」など、簡単に儲けようとする方向へドライブがかかり、お客様の存在は二の次になっていくんだ。

例えば、人気が高く品薄な商品を販売するときに、特に対策をせずに販売すると、今は転売を生業にしている人たち、いわゆる転売ヤーに買い占められてしまうことが多い。

ノジマのビジネスだけを考えれば、販売する相手が誰であろうが、その商品を販売すれば売上と利益は上がる。でも、うちが転売ヤーに販売することで、彼らに商材を与えてしまい、その商品が欲しかったのに手に入れられなかった一般のお客様は、不当に高い値段で買わざるをえなくなるという理不尽な循環が生まれてしまうんだ。

このような理不尽なことが起きてしまわないように適切に対応するのも、企業の役割だと僕は考えている。

吉田松陰は、著書『講孟箚記《こうもうさっき》』のなかで「君子は何事に臨みても理に合ふか合はぬかを考へて、然る後是《これ》を行ふ。小人は何事に臨みても利になるかならぬかと考へて、然る後是を行ふ。」と述べている。つまり、同じ事柄に対しても、君子（立派な人）は、道理を基準にしてそれを行うか否かを決めるのに対し、小人（つまらない人）は、それが自分の利害に一致するか否かを基準に行動するものだと指摘し、利益や損得を先に考えることを戒めているんだ。

自分がこれから行おうとしていることが、道理と合っているかを冷静に判断できることは、これからの企業人にとって特に大切だと思うな。

お客様に喜んでいただいた結果が正しい収益になる

S・Kさん　とはいえ、企業は利益がないと存続できません。自分や組織の損得を先に考えないのは、実際難しいのではないでしょうか？

野島　経営目標や営業目標を掲げて、それを予算として各部署に割り振っているような企業だと、みんなが数字を追いかける文化になるから、難しいかもしれないね。

でも、売上や利益は、本来は追求するものではなくて、お客様に喜んでいただいた結果、与えられるものなんだ。この因果関係を正しく理解せず、結果である売上や利益だけを追い求めると、簡単に手段を間違えてしまうことになるだろう。このことを忘れないようにするために、うちの会社の給与明細には、次の言葉を入れているんだ。

「給与はお客様から頂いています。常にお客様の立場で貢献しましょう。」

従業員数が少なく、給料が現金支給だった数十年前から、同様の言葉が給料袋には印刷されていてね。こうした給料に対する考え方も、長年引き継がれてきたノジマをノジマたらしめるＤＮＡの一つだと僕は思ってるよ。

給料はお客様からいただいているのであって、上司や会社からもらっているのではない。だから、毎月、給料をもらうたびに、「お客様からいただいている」と、心のなかでお客様に感謝する。上司や会社に媚びる必要はない。そうした気持ちを新たにするきっかけとなるよう、ノジマでは給与明細にあの一言を記しているんだ。

結局は、お客様の立場に立ってまっとうに仕事をし、お客様に喜んでいただけたら、正しい収益が上がっていくんだよね。良いことをして得たお金でも悪いことをして得たお金でも、同じ1万円なら1万円の価値があるという意味で「お金に色はついていない」と言う人がいるけれど、実はよく見れば企業のお金にも「良い収益」「悪い収益」という色がついているんじゃないかと僕は思ってるんだ。

学生の質問

Q27

仕事をしているときのやりがいは何ですか?

（A・Yさん）

現役経営者の答え

A27

仕事の内容や役職によって変わる。経営者の今は人を育てることが最大のやりがい。

お客様の喜びや感動が自身の喜びになる

野島　僕のビジネス人生を振り返ってみると、やりがいは、仕事内容や会社での役職が変わるごとに変わっていったように思うよ。

A・Yさん　仕事を始めたばかりの頃は、何がやりがいだったんですか？

野島　僕が最初に仕事をしたのは、実は小学校3年生の頃だったんだ。

A・Yさん　早いですね！

野島　小3の夏に、東京電力に勤めていた父親が副業として町の電器屋さんを始めてね。大きな電気製品をお客様の家まで配達して設置するのに人手が必要だったから、僕もお店の仕事を手伝わされていたというわけ。

その頃は、いやいや手伝っていたので、正直に言うと「やりがい」と言えるほどのものは感じていなかったけど、強いて挙げるなら、冷蔵庫やテレビなどの大きな電気製品を父親と一緒にお客様の家まで運んだときに、「暑いなか、ご苦労さま」とスイカを食べさせてもらったり、ときにはご祝儀をいただけたりしたので、それは素直にうれしかったかな。アメとムチに例えるなら、お客様のところでもらえる（かもしれない）ご褒美がアメ、手伝わないと父親に叱られるのがムチ、この二つで当時の僕は動いていたように思うな。

A・Yさん　本当の意味で、仕事のやりがいを感じたのは、いつ頃ですか？

野島　うーん、大学卒業後、傾きかけた実家の商売を立て直すために、野島電気商会に入社してからかな。その頃、僕は電気製品の訪問販売をしていてね。

会社に置いてある製品を実際に自分で操作してみて、その製品が良いかどうかを確かめたり、どうやって説明すればその製品の良さをお客様に分かってもらえるかを考えたりしながら、仕事をしていたんだ。そんなある日、以前カラーテレビをお買い上げいただいたお客様から、こんなことを言われたんだ。

「あのとき君がすすめてくれたカラーテレビにしておいてやっぱりよかったよ。知り合いのAさんも欲しがってたから、今度、彼の家へも寄ってあげて」

そう言って、新たなお客様を紹介してくださってね。あのときは、自分がおすすめした商品をお客様が本当に喜んでくださっていたことが分かってうれしかったし、この仕事をやっていてよかったとしみじみ感じたな。

もし君が、販売や営業の仕事に就くのなら、社会人なりたての僕が感じていたような、お客様の喜びや感動を創り出す喜び、そしてその輪が広がっていく手応えを、日々感じることができると思うよ。

与えられた仕事より、自発的に取り組む仕事に大きなやりがい

A・Yさん　販売や営業は、なんとなく「大変な仕事」というイメージがありましたが、お客様の喜びをダイレクトに感じられるという点で、やりがいがありそうだと感じました。接客以外の場面だと、どんなやりがいがありましたか?

野島　入社2年目のときに始めたオーディオのビジネスを進めるなかで、自ら企画・実行して成功に結び付けるという新たなやりがいに出会ったよ。

当時、僕はオーディオが好きでね。埃をかぶった照明器具や型落ちのステレオセットが雑然と並んでいた自社ビルの2階を改装して、オーディオ好きに喜んでもらえるようなビジネスをしよう!と考えたんだ。

あの頃、オーディオ機器と言えば、各メーカーから出ている、どっしりとした家具調のステレオセットが主流だった。でも音にこだわる人は、レコードプレーヤーや

アンプ、スピーカーなどの機器、いわゆる単品コンポを自分で自由に組み合わせて楽しんでいたんだ。それで、オーディオマニアに喜んでもらえるような高級単品コンポをうちでも販売しようと考え、社長だった母親に掛け合って３００万円を出してもらった。当時のうちの会社にとって３００万円は大金。もし失敗すれば、会社は倒産の瀬戸際まで追い込まれかねない……そんな状況だったんだ。

「都心部から離れた相模原で、そんな商売が成り立つはずがない」と、周囲からは嘲笑され、成功すると言ってくれた人はほとんどいなかった。

だけど、学生の頃からオーディオ好きだった僕は、「相模原市周辺にもオーディオファンがいるはず。その人たちに向けて、選りすぐりの単品コンポを価格帯別に揃えれば、きっと喜んでもらえるんじゃないか」と考えたんだ。

最初のうちは来店してくださる方は少なかったけれど、音質を確かめたい方にはどんどん試聴してもらったり、お客様のお好みのサウンドがどんなものかを伺って、それに合う機器を提案したりと、お客様の立場に立った接客をしているうちに、オーディオファンの間でも評判になり、徐々にお客様が増えていったんだ。

A・Yさん　入社2年目で、そこまで思い切った提案を会社にして、しかも成功させるって、すごいです。やりがいも大きそう。

野島　背水の陣だったからね。それで、このときの経験から、上司や会社から与えられた仕事ではなく、自らやりたいと思って取り組む仕事のほうが、達成感ややりがいは段違いに大きいことに気づいてね。だからノジマでは、新入社員はもちろん、パートやアルバイトでも、「これをやってみたい！」と思うことがあったら、「決裁書」を上げることで、誰でも自分のアイデアを実行できる仕組みを整備してるんだよ。

知恵を出し合いながら大きな成果を上げる喜び

A・Yさん　その後も、新しいやりがいを感じることはありましたか？

野島　うん、あったよ。さっきの話は、自己効力感というのかな、自分の考えを形にして成果に結び付けていく面白さが中心にあるんだけど、その次の段階では、人を育てて、その人たちと知恵を出し合いながら大きな成果を上げる喜びが待っていたんだ。

オーディオの単品コンポ販売を始めた当時は、社員が二人しかいなかったから、商品の仕入れから改装準備、店頭での接客、アフターフォローまですべて僕が一人でやっていたんだけど、口コミでお客様が増えていくに従い、僕だけでは手が回らなくなっていってね。それで、少しずつ人を増やしていったんだ。

彼らには、僕が手本を示しながら、接客や掃除、品出しなど、お店のマネジメントに必要なことを覚えてもらいつつ、アイデアもどんどん出してもらった。

例えば、うちのお店には単品コンポしか置いていなかったんだけど、システムコンポを求めるお客様も一定数いらっしゃったので、そのニーズに応えられるイベントをやってはどうか、というアイデアが出たときがあってね。それで、僕も含めて三人くらいでイベントを企画して、「会場はどうする？」「お客さんはどうやって集めようか?」「目玉の商品はなんだろう?」といろいろ話し合い、具体的な内容を詰めていったんだ。

こんなふうに寝る間も惜しんで部下と一緒につくりあげたイベントは、お客様にとても喜んでいただけて、大成功を収めた。打ち上げの日に「よかったね!」と言いながらみんなで飲んだお酒の美味しさは、今でも忘れられないな。

この当時、僕が一緒に働きながら育てていった人たちは、その後ノジマが成長していくうえで重要な役割を担う礎となっていったんだ。

成功するまで慌てず・焦らず・諦めず

A・Yさん 経営者である今は、どんなことがやりがいですか?

野島 やっぱり人を育てるのが、大きなやりがいかな。育てられている本人が自分で成長を実感できていて、僕も「彼は、本当に成長したなぁ」と思える瞬間が、今は一番うれしいんだ。

実は人の育成に関しては、これまでに2度、いや、3度かな、大きな失敗をしていてね。他の人にも話したんだけど、1991年に会社の組織改編で閑職に追いやられたときに、自ら考え行動できる人材を育てられていないことに気づかされたんだ。その後は工夫しながら人育てをして「これで僕が一線を退いても大丈夫!」と思って、2006年に生え抜きの人材に経営を任せたら、会社がガタガタになってしまった。このときは、ノジマの社長だけでなく、子会社の社長をやっていた他の人も辞めると言い出すし、信頼していた重役の一人も病気で急逝するしで、本当に辛かったな。

最近は、ノジマにも若い取締役が出てきて、僕も人材育成がなかなかうまくなってきたのかな、と自分で思っていたんだけど、「いや、まだまだだなぁ」と思わされることがついこの間もあってね。3度目の人材育成の失敗をフォローするために、今も努力しているところなんだ。

A・Yさん　人材育成って、奥が深いんですね。

野島　うん、本当にそう思うよ。だけど、どんなに難しい状況でも「どうやったらうまくいくのか」を考えて試行錯誤を重ねていけば、意外と突破口は見つかるものだからさ。成功するまで、慌てず・焦らず・諦めずの３Ａの精神で、今は進めているんだ。僕がいなくなっても、会社のなかで次々と人が育っていって、ノジマが世界一の会社になることを夢見ながらね。

ここまで、僕自身が仕事で感じたやりがいをいくつか紹介したけど、業種や職種が違えば、やりがいも当然違ってくると思う。君が目指している仕事では、どんなやりがいが感じられそうか、いろんな人に聞いてみるといいんじゃないかな。

COLUMN

就活と仕事に役立つ ノジマウェイ

「新しい金魚」になろう

ソニーで管理部門の担当をされていたSさんから、金魚について興味深い話を教えてもらいました。

君の目の前に金魚がたくさん入った水槽があるとします。その水槽の真ん中に透明なガラス板を入れて、金魚を片側に集めます。そして、金魚がいるのとは反対側にエサを落としたとしましょう。

そうすると、金魚はエサを食べにいこうとして何度も何度もガラス板にぶつかります。それを繰り返しているうちに、反対側のエリアにエサが落ちても反応せず、やがてはガラス板の手前だけで泳ぎ回るようになりました。

次に、真ん中のガラス板を取り除いて、同じように反対側にエサを落とします。そうすると、今度は何の障害もないのに、金魚たちはもはや反対側にエサを取りにいこうとはしなくなってしまいました。

さて、ここで問題です。この金魚たちに反対側に落ちたエサが食べられることを気づかせるには、どうしたらよいでしょうか?

正解は「新しい金魚を入れること」です。

水槽に新しい金魚を入れると、その金魚は反対側に行ってエサをパクパクと食べ始めます。その様子を見て、最初からいた金魚たちも「あ、あっちのエサも食べられるんだ!」と気づき、反対側にエサを食べにいくようになる、というわけです。

組織に新しい人が加わるときには、このようなことがしばしば起こります。これは、古い考え方にとらわれていた組織が、新しい気づきを得て、強くなる機会でもあります。

君が社会人になったら、その会社の「当たり前」に染まる前に、「新しい金魚」となって泳ぎ回ってみることをおすすめします。

君の目から見て「なぜこうしているんだろう?」と疑問に思うことや、「もっとこうしたらいいのに」と感じることを、素直に(できれば感じの良い言い方で)伝えれば、先輩や上司は「確かにそうかも!」と気づくことができるかもしれません。それは新人時代にしかできない、会社への一番の貢献なのです。

---- CATEGORY ----

仕事観・働き方

学生の質問

Q28

仕事で自分らしさを出すには どうしたらよいでしょうか？

（F・Eさん）

現役経営者の答え

A28

頑張って自分らしさを出す必要はない。

自分らしさとは、周囲の人が感じる「あなたらしさ」

野島　質問に答える前に、君自身の自分らしさはどんなことなのか、聞かせてもらえるかな？

F・Eさん　友達からは、優しいとか、協調性があるとは言われます。

野島　君がいみじくも「友達からは」と言ったように、自分らしさというのは、本来、その人自身が持っている良さが行動を通じて自然と表れて、それを見た周囲の人が「あなたらしいね」と感じるものだと、僕は思うな。だから、頑張って仕事で自分らしさを出す必要は何もないと思うんだけど。

そもそも、なぜ仕事で自分らしさを出したいと思っているの？

F・Eさん　本来の自分を抑えたり変えたりすることなく働けたら、仕事を楽しめそうだなと思ったんですが。

野島　そうか……。少し厳しい言い方になるかもしれないけれど、君は「楽して仕事をする」ことと「仕事を楽しむ」ことを混同しているのかもしれないね。

「袖振り合うも他生の縁」だから、ここは君の成長のために思い切って言わせてもらうけど、いいかな。

F・Eさん　はい。

仕事を楽しむためには自分が変わらなければならない

野島　人は、できなかったことができるようになったり、誰かに「ありがとう」「助かった」と言われたり、自分の考えを形にしていったりするときに、大きな達成感や喜びを覚え、仕事が楽しくなっていくものなんだ。

そういった仕事が楽しいと思える状態になるには、自分なりに努力して成長していくことが欠かせない。そして成長するには、周囲の人からフィードバックをもらいながら、自分の悪いところを改めたり、良いところをもっと伸ばしたりして、少しずつ変わらなければならないんだ。

だから「今の自分のままで変わることなく、楽しく働きたい」というのは、実際にはありえないことだと僕は思うよ。

F・Eさん　仕事で「ありのままの自分」を出すのは、ダメということですか？

野島　そういう意味じゃないんだ。自分を偽っていては苦しくなってしまうよ。「ありのままの自分」を正直に出しながら、より良い方向へ変わる努力、成長する努力は続けなければいけない、ということだよ。

「今の自分から変わりたくない。努力したくない」というのは「わがまま」であって、「ありのまま」とは少し違うんじゃないかな。

君が持っている「優しいところ」「協調性があるところ」が自然に発揮できて、それを伸ばしながら、お客様や社会に貢献できる仕事や職場に出会えることを願っているよ。

学生の質問

Q29

お客様の信頼を得るうえで大事なことは何でしょうか？

（H・Nさん）

現役経営者の答え

A29

お客様の不安を解消し、お客様の期待を超え続ける努力をしよう。

お客様の状況を正しく理解する

野島　どんなビジネスでも、またどんな仕事をしていても、お客様から信頼を得ることはとても大事なことだと僕も思う。信頼していただかないと、お客様に買っていただけず、どんどんお客様が離れていくからね。

僕が店頭で接客をしていた頃、お客様の信頼を得るうえで大事にしていたのは、

①お客様の不安を知り、それを解消する努力をすること、②期待されたことを期待以上のレベルで行うことの二つだったよ。

H・Nさん　お客様の不安を解消するとは、例えばどういうことでしょうか？

野島　例えば、ノジマでは大型家電やデジタル製品などの高額商品を扱っているので、お客様は自分が支払う金額に対して「本当にそれだけの価値があるかどうか」という点に、大きな不安を感じるんだ。

その不安を解消するには、接客にあたる人が、お客様の状況を正しく理解して、おすすめした商品がお客様の要望を満たすことをきちんと説明し、「今よりもずっと快適になりそうだ」「便利になりそうだ」「金額に見合う価値がありそうだ」と感じていただく必要がある。

そして、こうしたことができるようになるには、お客様一人ひとりの異なる使用状況や悩み事を伺うスキルや、お客様のニーズにぴったり合う商品をおすすめするスキルなど、いろんなスキルを磨いていかないといけないんだ。

期待を超えてこそ生まれるお客様の感動と喜び

H・Nさん　期待されたことを期待以上のレベルで行うとは、どんなことですか？

野島　ある商品やサービスを購入するときに、お客様は一定レベルの期待値を持っているものなんだ。

お客様の期待値と、商品・サービスを体験して得たものが同じだった場合、お客様は満足を感じる。この状態をCustomer Satisfaction（ＣＳ＝顧客満足）と言うんだ。お客様に商品・サービスを買っていただくには、最低限このレベルはクリアしないといけない。

でも、本当の意味でお客様の信頼が得られるのは、実はＣＳより上のCustomer Delight（ＣＤ＝顧客感動・顧客歓喜）を提供できたときだと僕は考えている。そしてＣＤは、お客様の期待値を超えて初めて生まれるものなんだ。

僕が店頭で接客していた頃に、ノジマのリピーターになったり、他のお客様を紹介してくださったりしたお客様は皆、「当初考えていたものとは違う商品を買うことになったけれども、結果的にそれがとても良かった。すすめてもらった商品を使ってみたら、期待以上だった」と口々に言ってくださったんだ。こうしたCD体験の積み重ねが、長期にわたる信頼関係のベースになっているはずなんだ。

常にお客様の立場に立って、不安を解消し、お客様の期待を超え続ける努力をしていけば、君もお客様の信頼を得ることができると思うよ。

図表　お客様の期待値と満足度の関係

期待値 ＜ 現実	感動	Customer Delight
期待値 ＝ 現実	満足	Customer Satisfaction
期待値 ＞ 現実	不満	

学生の質問

Q30

ノジマの将来について
知りたいです。

（J・Yさん）

現役経営者の答え

A30

ノジマが得意なところを磨き、既存事業を軸に、日本で一番お客様に喜ばれ、一番成長し続ける会社にしていく。

強く壊れにくい組織として成長し続ける

野島　ノジマは、グループ全体ではデジタル家電販売事業・携帯キャリア運営事業・インターネット事業・海外事業・金融事業など、既に多くの事業領域を持っているんだ。だから今後は、ノジマが得意なところを磨きあげ、各事業とも日本で一番お客様に喜ばれて、一番成長し続ける会社にしていこうと考えているよ。

J・Yさん　ノジマが得意なところとは具体的にはどんなことでしょうか？

野島　①お客様の立場に立って親身なコンサルティングが行える人材を育成する、②自ら考え、アイデアを出せる人材を育成する、③お客様の変化、地域の変化、社会の変化を敏感に察知し、日々ビジネスのなかで対応する、④デジタル製品およびデジタルテクノロジーとシナジーのある商品・サービスを積極的に取り込む。これら四つを実施することで、より多くのお客様に喜んでいただき、少しずつ、しかし確実に成長していくことを目指しているんだ。

これまでノジマは、人を育てることで会社を成長させてきた。これからもその方針は変わらない。だから急激に売上や利益が大きくなったりはしないけど、その分、強く壊れにくい組織として成長していけると思っているよ。

J・Yさん　超高齢化社会に向かう日本において、ノジマだからこそできるビジネスを何か考えていますか？

野島　高齢者向けのリアルサービスを形にしたいなと考えている。年齢を重ねた方々にしてみると、毎日家で使用している電気製品やデジタル製品に不具合が起こるととても困るんだ。若い人には想像できないかもしれないけど、肩が痛くて腕が思うように上がらなくなったら、電球一つ変えるのだって苦労するものだ。

そうしたお客様のところへ出向いて、デジタルと電器にからむ暮らしの困りごとを解決できるようなビジネスを展開できればいいなと考えているんだ。

変化する社会で存在価値を持ち続けるために

J・Yさん　ノジマに就職するなら、企業として永続していってもらいたいなと思うのですが。

野島　企業が永続していくには、まずは社会にその存在価値を認められなければならないんだ。社会から存在価値を認められれば残っていくし、他社よりも存在価値が劣っていれば生き残れない。それがビジネスの常だからね。

少し残念なデータになるけど、日本経済新聞社が実施した「主要商品・サービスシェア調査」では、２０２２年に日本企業が世界で首位となった商品は63品目中、わずか6品目にとどまっているんだ。しかもその6品目のうち5品目は、市場が縮小傾向にある。これは裏を返せば、世界中の人が喜んで買ってくれる成長市場の商品を、今の日本企業は生み出せていないという意味なんだ。

だから、ノジマという企業が存在価値を持ち続けるには、他社が行わないことでお客様に喜ばれることを見つけていくことが何よりも大事だと認識している。他社が気づかず、手を出していないようなことを見つけて、それをいち早く形にして、社会に喜んでもらうこと。これを自ら考え実行できるノジマの人財と共に進めていくことで、企業として永続的な発展を目指そうと考えているよ。

COLUMN

ノジマのリアル

お客様に喜ばれ成長を続ける企業を目指して

企業は少しずつでも必ず成長していかなければ、従業員の幸せを維持することはできず、社会に貢献することもできないと僕は考えています。実際、売上や利益が伸びていなければ、従業員の給料を上げることもできません。

売上や利益が伸びるという結果の前には、お客様に喜んでいただき、ノジマへの支持が増えるというプロセスがあります。ノジマにおいてこの大切なプロセスを担っているのが、お客様や市場、社会の変化を日々敏感に感じ取り、アイデアを出し、素早く実行している従業員一人ひとりなのです。

ノジマでは、お客様接点に立つ従業員から発信される情報をもとに、常に取扱商品は世の中のニーズを先取りしてきました。パソコンも携帯電話も、業界での取り扱いは日本で一番早かったと自負しています。お客様の要望にいち早く応えてきた結果、インターネット環境への対応もプロバイダーサービスの提供も１９９０年代前半に開始し、ＡＤＳＬもヤフーより早く提供を開始しました。

今後もお客様の生活をより便利に、より快適に、より楽しくするデジタル関連の商品やサービスを積極的に取り入れ、お客様に喜んでいただき、支持される企業として成長を続けていきたいと考えています。

図表 株式会社ノジマ 売上高推移（連結）

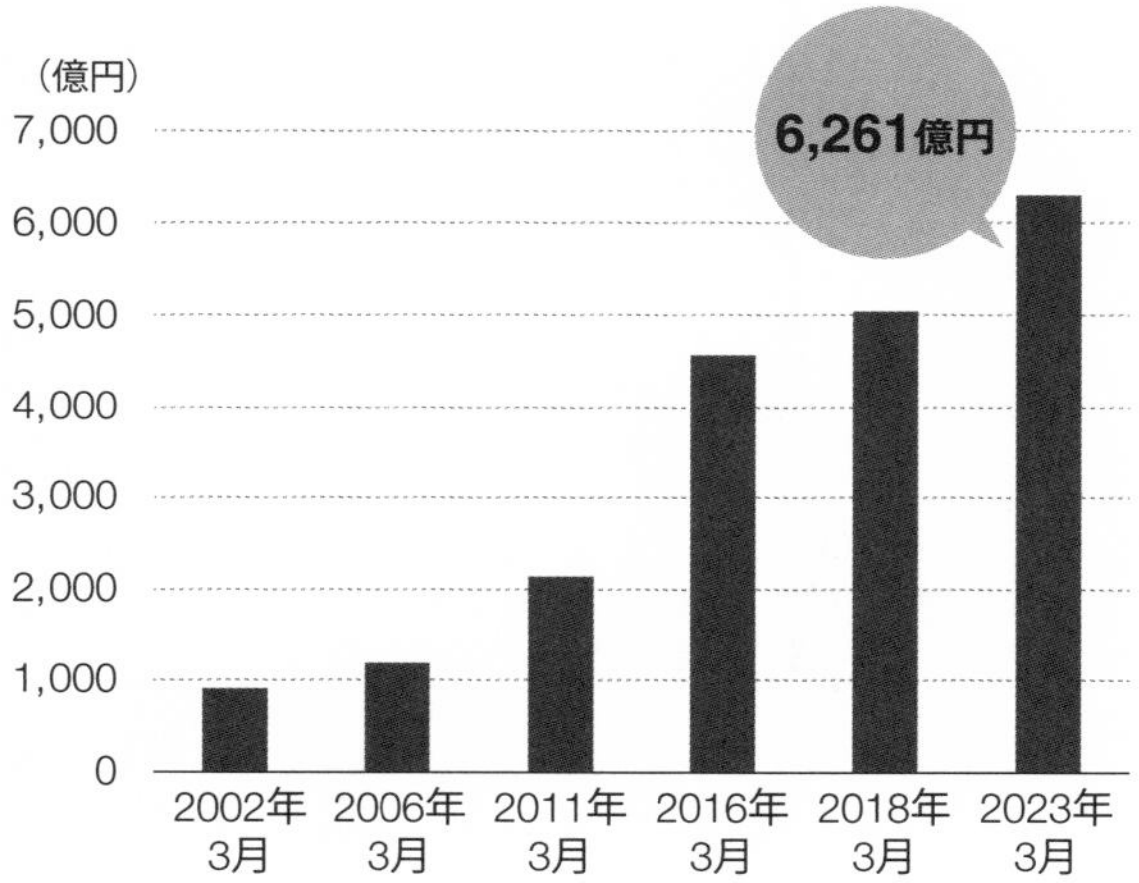

図表 株式会社ノジマ 従業員数推移（連結）

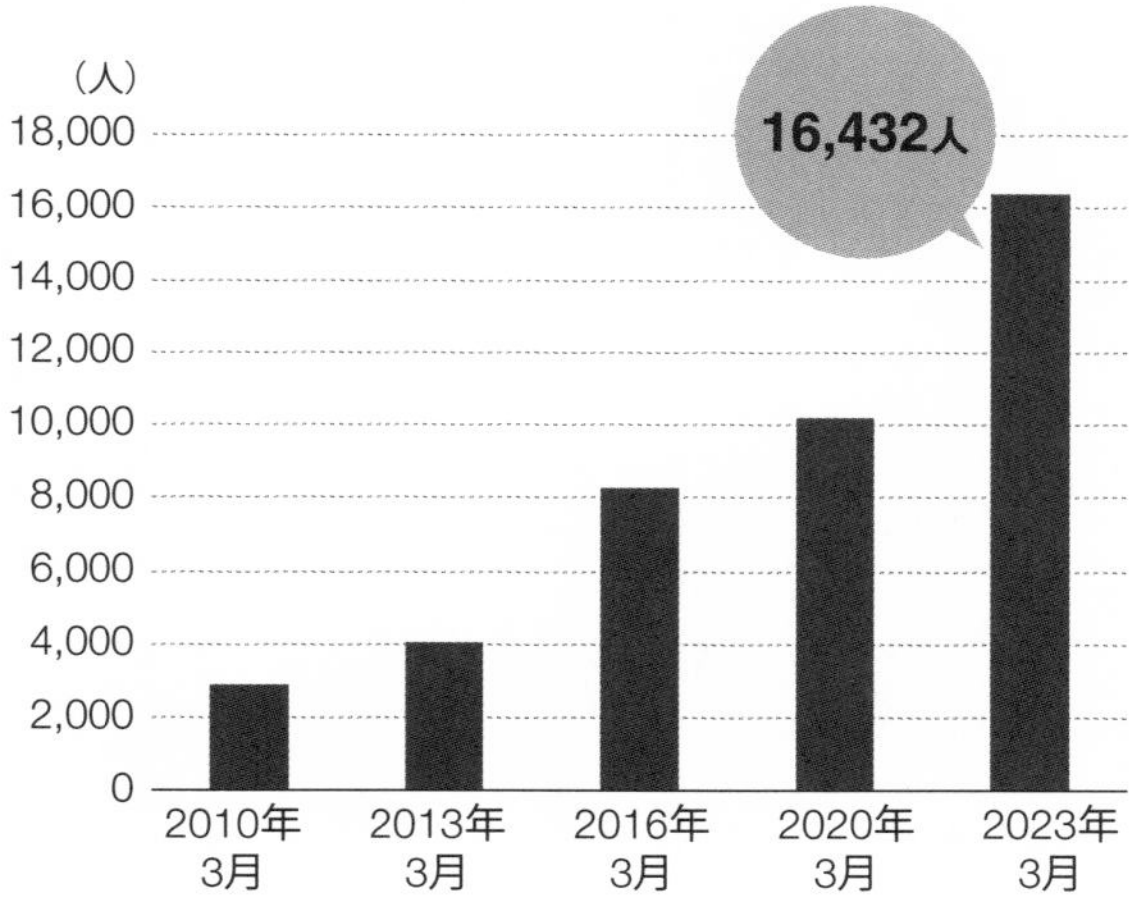

おわりに

最後まで読んでいただき、ありがとうございます。ここまで読んでみて、いかがだったでしょうか。

自らの人生を切り拓いていくために必要な考え方を君が少しでも感じ取り、行動を変えるきっかけにしてくれたなら、僕も本望です。

未来ある君に対し、多少厳しい話もしました。僕自身が体験した苦しい話もたくさんしました。楽しい話も、少しはあったかもしれません。人生というのは、楽しいことばかりではありません。このことを忘れずに君が努力できるようになってくれることを心から願っています。

本書では、就活生の質問に対し、できるだけ正直に回答しようと努めました。ただ、僕はノジマでしか働いたことがないので、テーマによってはうちの会社の例が多くなってしまったかもしれません。少し「宣伝ぽいな」と君が不快に感じたのなら、お詫びします。

僕はこれまで日本の発展に尽くそうと努力してきました。そのことに対し多少の自負もありました。しかし、『イーロン・マスク』（ウォルター・アイザックソン著）を読んで、イーロン・マスクの志の高さに衝撃を覚えました。彼が尽くす対象は、国家の枠を超えて、全世界、全人類なのです。単なるお金儲けのためではなく、いかに人類を救い、文明を発展させるかを真剣に考えている人が、僕たちと同じ時代に生きています。

この本を手に取ってくれた君には、ぜひ日本から飛び出し、世界へ、いや宇宙へと、志と活躍の場を広げてもらえたらと思います。

若者の君へ、僕が好きな二人の偉人の言葉を贈ります。

「志を立てて以て万事の源と為す」（吉田松陰）

すべては、志を立てることから始まります。

しかし、志だけでは物事を前に進めることはできません。そこで覚えておいてほしいのが、次の言葉です。

「およそ世の中は智あるも学あるも、至誠と実行にあらざれば事はなさぬものと知るべし」（二宮尊徳）

志を立てたら、真心を尽くして実際に行動する、つまり努力すること。そうすることによって、君は志を遂げることができるのです。

高い志と努力が、君の人生の友となることを祈っています。


最後になりましたが、本書の刊行にあたり感謝を伝えたい人がたくさんいます。

ダイヤモンド・リテイルメディアの山本純子さんには、本書の企画が生まれる前段階から書籍が店頭に並ぶまでの長きにわたり伴走いただきました。ストリームエクステンションの松井利恵さんには、僕の考えや想いを文章にする部分でお力添えいただきました。また、社内では、人財採用グループの若手スタッフが、就活生の立場に立って、本書の企画や内容について率直かつ貴重なアドバイスを送ってくれました。秘書のNさんは、本書の窓口として、社外の方々とのスケジュール調整から取材がスムーズに進むための下準備、原稿確認の締め切り管理まで、細やかな配慮で全面的に僕をサポートしてくれました。皆さんにはこの場を借りて、改めてお礼を申し上げます。

著者

［著者］
野島廣司（のじま・ひろし）
株式会社ノジマ 代表執行役社長。1951年、神奈川県生まれ。中央大学商学部卒業後、1973年に有限会社野島電気商会（現・株式会社ノジマ）へ入社。当時、経営悪化により社員数２名となっていた会社を立て直し、連結売上高6,000億円超（2023年３月現在）の企業グループへと成長させた。1994年に社長、2006年に会長就任。2007年に会長兼社長、2008年に再度社長となり現在に至る。
販売ノルマではなくカスタマーディライト（顧客の歓喜・感動）を追求し続けることと、従業員が自ら発案した企画は失敗の可能性が高くてもチャレンジさせる「失敗のすすめ」を重視。経営方針として、従業員一人ひとりが経営者の自覚を持って行動する「全員経営理念」を掲げる。
著書に『失敗のすすめ』（ダイヤモンド社）がある。

将来を本気で考える君へ
人生100年時代の就活相談

2024年２月27日　第１刷発行

著　者――野島廣司
発　売――ダイヤモンド社
〒150-8409　東京都渋谷区神宮前6-12-17
https://www.diamond.co.jp/
電話／03･5778･7240（販売）
発行所――ダイヤモンド・リテイルメディア
〒101-0051　東京都千代田区神田神保町1-6-1
https://www.diamond-rm.net/
電話／03･5259･5941（編集）
装丁――――山﨑綾子（dig）
印刷／製本――ダイヤモンド・グラフィック社
編集協力――松井利恵（ストリームエクステンション）
編集担当――山本純子

ISBN 978-4-478-09091-6